초등 매일 공부의 힘

학년이 올라갈수록

성적이 오르는 아이들의 비밀

초등 매일 공부의 힘

· 이은경 지음 ·

가나

시작하며

『이제 그만 불안했으면 좋겠습니다』

잘 키워보려 할수록 더 많이 불안하고 어려운 시대입니다. 번듯한 간판을 가진 대학에 합격하려면 진학률 높다는 고등학교에 다녀야 하고, 그런 고등학교에 입학하려면 중등 내신을 철저히 관리해야 하고, 중학교 내신에 대비하려면 초등부터 구멍 없이 내달려야 한다니 시작부터 숨이 찹니다. 이제 막 공부를 시작한 아이가 대견하면서도 지금 나이에는 어떤 공부를 시켜야 하는지, 매일 얼만큼 해야 하는지, 다른 집 애들보다 덜 시키고 있는 건 아닌지, 이렇게 열심히만 하면 뭐라도 되긴 하는 건지 불안하기만 합니다.

뭐라도 얻어들을 수 있을 거란 기대로 학교 반 모임과 인터넷 검색창을 기웃거려 보지만 그럴수록 점점 더 길을 잃는 느낌입니다.

하나둘 사교육을 시키기 시작하니 놀고 싶어 입이 쑥 나온 아이와 씨름해야 하고 야금야금 늘어나는 사교육비에 사는 것도 팍팍해집니다. 누가 좀 정해주면 좋으련만 도대체 어느 정도의 돈과 시간, 노력을 들여야 할지 몰라 고민만 쌓여갑니다. 친절하다는 학원 원장님을 붙들고 하소연해봐도 후련하지 않습니다. 초등 두 아이의 엄마인 저는 "애들은 공부 안 해도 괜찮아. 자기가 하고 싶다고 할 때까지 실컷 놀아야지."라고 말할 수 있는 배짱 있는 엄마는 못 됩니다. 우리 아이가 공부 잘했으면 좋겠고 담임 선생님께 칭찬받았으면 좋겠고 인기도 많아 반장 됐으면 좋겠고 악기 하나, 운동 한 가지쯤은 제대로 하면 좋겠고, 그렇게 훈훈하게 자라다가 좋은 대학에 합격하기를 바라는 지극히 욕심 많고 기대 가득한 엄마입니다.

초등교사로 15년 넘게 교실의 아이들과 지내왔지만 내 아이를 공부시키는 일은 새로운 도전이었습니다. 큰아이가 초등학교에 입학하자 뭐라도 시작해야 할 것 같은 막막함에 좋다고 소문난 영어학원부터 찾아갔지만, 막상 뭘 물어봐야 할지 몰라 헤매던 완벽한 초보 학부모였습니다. 그러던 중 오랜 시간 교실에서 지켜봐온 아이들이 생각났습니다. 초등학생 때부터 과하다 싶게 다양한 학원을 순례하던 그 아이들이 어떤 모습의 중학생, 고등학생이 되었는지 한 명씩 떠올랐습니다. (제 첫 제자들은 지금 20대 후반이며 간간이 연락을 이어오고 있습니다.) 그 결과 초등학교 시절의 성적이 이후의 결과까지 보장해주지는 않더라는 깨달음이 생겼고, 그렇다면 초등 6년 동안 어떤 공부를 어떻게 해야 할까에 관한 깊은 고민이 시작되었습니다. 다행인지 불행인지 생활비가 충분치 않아 학원 하나 더 보내려면 한두 달 고민은 기본이었고, 귀는 얇아도 가성비 엄청나게 따지는 엄마 때문에 아이는 뭐 하나 제대로 시작하지도 못한 채 시간은 잘도 흘렀습니다.

이럴 시간에 집에서 뭐라도 시켜볼까 싶어 하나씩 시작했습니다. 책을 읽히고 영어 동영상을 틀어주고 연산 문제를 풀게 했습니다. 뚜렷한 계획도, 원대한 목표도 없이 시작한 일들이 신기하게도 아이의 매일 습관을 만들어냈습니다. 휴직과 복직을 반복하느라 자주 중단되고 슬럼프에 빠졌지만 감사하게도 그런 아슬한 시간이 모여 끝내 매일의 공부 습관으로 자리잡았습니다.

이제 저는 공부하라는 말을 하지 않는 엄마가 되었습니다. 불안하지 않았다면 거짓말입니다. 대형 어학원에 다니는 아이 친구들의 수준 높은 영어 에세이를 보고 흔들리기도 했지만, 떠밀려 억지로 가야 하는 학원 얘기를 하며 우울한 표정을 짓던 교실의 아이들을 떠올리며 마음을 다잡았습니다.

초등 시기는 인생 전체를 결정한다고 해도 과언이 아닐 만큼 인생의 많은 부분이 결정되고 자리잡는 시기입니다. 부모인 우리는 초등 아이의 인성, 습관, 학습, 생활, 친구, 체력, 건강, 취미, 특기 등 가능한 많은 부분을 놓치지 않고 예쁘게 다듬기 위해 정성을 쏟습니다. 그게 부모의 일인 것으로 알고 시간, 돈, 에너지를 아끼지 않습니다. 우리는 열심히 잘해보려고 애쓸 몸과 마음의 준비가 되어 있습니다. 모처럼 간 미용실에서는 저렴한 염색약을 선택하면서도 아이 교육에 드는 돈은 무리해서라도 기꺼이 낼 준비가 되어 있습니다. 저는 잠시만 멈춰 서서 우리의 이런 노력의 방향과 방법이 제대로 설정되었는지 짚어볼 기회를 갖자는 말씀을 드리고 싶습니다.

우리가 쏟는 그 많은 것이 이왕이면 '아이를 위한 제대로 된 방법'이었으면 좋겠습니다. '내가 너 하나 잘 키워보려고 들인 돈이 얼만데'라는 원망을 쏟아붓는 날이 오지 않기를 진심으로 바랍니다. 저희 부부 같은 평범한 부모들의 무수한 노력이 헛되지 않기를 바라는 마음에 교사로, 엄마로 경험하고 실패하고 성공했던 초등 공부의 모든 노하우를 이 책에 담았습니다. 이제껏 학교에서 만나온 수많은 아이의 공부 모습에서 얻은 깨달음, 똑같이 열심히 하지만 같지 않은 결과의 이유, 제대로 잡힌 습관의 중요성, 교실과 집에서 아이들의 습관을 잡기 위해 사용했던 다양한 방법, 초등 엄마라면 누구나 가질 수밖에 없는 학습에 관한 고민과 궁금증을 담았습니다. 초등 시기에 꼭 해야 하는 공부와 그렇지 않은 과목들, 매일 공부 습관을 들여야 하는 이유와 그 방법, 학년별 시간 활용법, 잔소리가 아닌 칭찬과 성공 경험으로 가득한 공부 점검법 등, 우리가 매일 마주하는 고민에 관한 현실적인 조언입니다.

짧은 상담 시간만으로는 담임 선생님께 질문할 수 없었던 공부에 관한 궁금증이 있다면, 동네 엄마들과 정보를 교환할수록 사교육에 관한 고민이 깊어진다면, 이걸 왜 해야 하느냐며 슬슬 반항을 시작하는 아이를 달래느라 답답함을 느껴본 적 있다면 환영합니다. 오늘 당장 시작해볼 수 있는 현실 조언들이 이어질 예정이니까요.

야심 차게 내일, 다음 달, 혹은 내년부터 시작하겠다고 미루지 마세요. 오늘 읽은 페이지에 나온 어떤 것이라도 좋으니 오늘부터 계획을 세우세요. 첫 번째 습관이 잘 자리잡혔다면 그때 하나 더, 그리고 하나 더, 10분만 더, 한 장만 더, 그렇게 보이지 않을 만큼 끈기 있게 느린 속도로 탑을 쌓아가세요. 그것이 지금 대한민국의 교육 현실에서 사랑하는 내 아이에게 줄 수 있는 최고의 선물이자 유산입니다. 어떤 담임 선생님도, 학원 원장님도 이 일을 대신해주지 않습니다. 그러니 우리가 오늘부터 하나씩 시작해보자고요.

이제 그만 불안했으면 좋겠습니다. 아무것도 마음처럼 쉽게 되지 않는 시절에 부모라는 이름으로 열심히 애쓰는 우리 모두를 뜨거운 진심을 담아 응원합니다.

목차

Chapter 2

과목별 매일 공부 습관 만드는 법

Chapter 3

매일 공부 시간 만들기 1년 플랜

Chapter 4

매일 공부가 자기주도학습으로 가는 9가지 원칙

초등 시기, 매일 공부가 절대적으로 중요한 이유

01

공부머리보다 중요한 습관의 힘

'초등 공부'에 관한 본격적인 이야기를 시작해보겠습니다. 막막하고 답답하시죠? 가장 중요한 한 가지만 직설적으로 말씀드리겠습니다. 초등 시절 받아오는 백 점 시험지는 아이 인생의 어떤 것도 보장하지 못합니다. 혹시 우리가 초등이던 시절, 귤 까먹듯 무심하게 백 점을 받던 1등들이 어떤 모습으로 성장했는지 들어본 적 있으세요? 영재가 아닐까 부모를 들뜨게 했던 꼬마가 성장하면서 기대보다 못한 성적에 한숨 쉬며 무기력하게 학교와 학원을 오가는 모습을 본 적도 있으시죠? 영어유치원을 다니며 원어민 같은 은혜로운 발음으로 놀라게 했던 아이들이 영어 내신 등급이 나오지 않아 허탈해하는 모습은 고등학교 교실의 흔한 풍경입니다.

초등 시기의 좋은 성적, 앞서가는 진도는 자신감 넘치는 생활, 똘똘하다는 주변의 칭찬을 얻는 데 도움이 되겠지만 그뿐일 수 있습니다. 지금 아이가 또래보다 똘똘하니까 등을 떠밀어 대학 입시까지 가열차게 달려보겠다거나 혹은 기대만큼 신통치 않다는 이유로 벌써부터 포기해버린 건 아닌지 여쭤보고 싶습니다.

결론은 확실합니다. 지금의 모습으로 아이를 판단하며 조급해할 필요가 없습니다. 부모인 우리도 초등 시절의 점수대로 살고 있지 않습니다. 지금 우리의 모습을 만든 건 초등학교 때 받은 기말고사 점수가 아니란 걸 너무도 잘 알고 있으면서 왜 아이의 점수에만 신경을 쓰는지 생각해보세요. 우리의 인생이 계획한 대로만, 내가 받은 점수대로만 흘러가지 않는다는 것만 제대로 기억해도 아이의 공부를 바라보는 우리의 시선은 달라질 수 있습니다.

내 아이가 친구들보다 높은 점수를 받고 있는지보다 더 관심 있게 바라봐야 할 것은 지금 아이의 공부 습관이 제대로 잡혀가고 있는가입니다. 가깝게는 대학 입시를 준비하는 중고등 시기의 성적을 지탱해주고, 길게는 평생의 무기가 되는 공부 습관을 만드는 결정적

시기가 바로 지금이기 때문입니다. 진짜 공부는 아직 시작되지 않았습니다. 눈여겨보아야 할 것은 '지금 반에서 몇 등을 하고 있는가'가 아니라 '공부를 위한 바탕을 단단하게 다지고 있는가'입니다.

초등 시기는 내 아이가 어떤 성향을 가졌는지, 학습적인 면에서 강점은 무엇이고 약점은 무엇인지, 자신감을 갖고 야무지게 잘해내는 부분은 어떤 것이며 그렇지 못해 곤란해하는 부분은 어떤 것인지, 하기 싫고 힘들 땐 어떻게 표현하는지를 부모로서 폭넓고 섬세하게 알아가는 시간이어야 합니다.

불안한 이유는 잘 모르기 때문입니다. 초등 시기에 필요한 공부가 무엇인지, 하지 않아도 괜찮은 과목은 무엇인지, 내 아이에게 가장 필요하고 적절한 사교육은 무엇인지를 잘 모르는 상태에서는 주변의 말에 쉽게 흔들릴 수밖에 없습니다. 유치원, 어린이집에서부터 친구들과 경쟁을 시작하게 되는 아이를 바라보는 기대치와 불안감이 높을수록 학습지와 학원 개수는 솔솔 늘어납니다. 아이의 스트레스는 그보다 훨씬 빠르게 늘어날 거고요. 개인 과외를 늘리면서 부모의 불안감을 해소하려 하지만, 되지 않을 거예요.

실체 없는 불안감에서 벗어나 아이의 인생 전체를 놓고 큰 그림을 그려보아야 합니다. 치열한 대학 입시에서 아이가 꿈꾸는 대학에 무리없이 들어가기 위해서는 지금부터 고등학교 3학년까지 그 긴 시간을 지치지 않고 꾸준히 갈 수 있느냐에 달려 있습니다. 지금 점검해야 할 것은 전력으로 달리는 속도가 아니라 결승점의 위치를 제대로 알고 있는지, 끝내 그곳에 도달할 힘은 충분한지, 물병에 남아 있는 물의 양은 넉넉한지와 같은 것들입니다.

온 힘을 다해 빨리 달려 마침내 도착한 곳이 간절히 바라던 결승점이 아닐 수 있으며, 100m 단거리경주를 하듯 급하게 달리다 초반에 지쳐버리거나 때로 넘어질 수도 있다는 것을 기억했으면 합니다. 아무리 목이 말라도 경주 초반에 가진 물을 다 마셔버리면 안 된다는 것도 말이죠.

좋은 성적을 위한 필수조건은 '공부머리'라고 하지요. 부인할 수 없는 사실입니다. 하지만 그보다 훨씬 더 결정적이면서 중요한 한 가지는 매일 조금씩 더해지는 '습관의 힘'입니다. 매일 하는 일은 힘들지 않습니다. 정성스럽게 빚어진 아이의 공부 습관은 힘들고 지루한 입시를 할 만한 일, 하던 대로 계속하다 보면 결과를 기대할 수 있는 일로 여기게 해줄 것입니다. '왜 이 정도밖에 못하냐'며 꾸중하고 비교하는 대신 '이왕 해야 한다면 즐겁게 하자'며 가족이 함께 긍정의 파이팅을 외쳤으면 합니다.

대한민국의 입시 현실을 개탄하며 모든 생활을 정리하고 훌쩍 이민 가버릴 상황이 아니라면, 예체능 쪽에 특별한 재능을 가졌거나 아이돌을 할 만한 넘치는 끼를 타고난 아이가 아니라면, 그래서 일단 공부를 시작했다면 절대 초등 시기를 놓치지 마세요. 아직은 아빠, 엄마가 세상에서 제일 좋고, 부모님 말씀이라면 무조건 지키려 노력하는 사랑스러운 아이와 매일 하나씩 예쁜 습관을 만들어보세요.

아이 인생에 공부 습관만큼 확실한 유산은 없습니다. 아이들은 정성껏 물 주고 아끼는 만큼 반짝거리며 자라납니다. 화분을 들여다보며 날마다 물을 주고 잎을 닦는 마음으로 아이의 매일 공부를 계획하고 실천하고 칭찬해주세요.

02

공부 습관을 잡을 수 있는 마지막 시기

.... 초등 매일 공부의 목표는 뚜렷하고 단순합니다. 고학년이 되어 본격적으로 시작하게 될 자기주도학습, 즉 스스로 계획하고 실천하는 공부를 위한 제대로 된 습관 만들기입니다. 목표는 명문대 합격이 아닙니다. 본격 대학 입시 준비를 위한 초등 대박 학습법을 찾고 있다면 저는 별다른 도움을 드릴 수 없으니 입시 코디 김주영 선생님을 만나보세요. "저를 전적으로 믿으셔야 합니다."며 강한 확신을 주시겠지요.

초등 6년은 언제든 성실한 공부가 필요한 삶의 순간에 강력한 무기가 되는 평생의 공부 습관을 만드는 시기여야 합니다. 지금 더 잘하고 더 많이 하고 더 빨리하는 것이 목표가 되어서는 안 됩니다. 스스로 세운 계획을 매일의 습관으로 지켜내고 결국 목표까지도 스스로 세울 줄 아는 아이로 만드는 것이 눈앞의 결과보다 중요한 목표입니다.

제대로 된 공부 습관이 한번 자리잡히면 학년이 올라갈수록 성적은 따라오게 되어 있습니다. 때로 목표에 닿지 못하더라도, 초등 시절 단단히 다져놓은 자기 주도적 공부 습관은 평생의 무기가 됩니다. 그게 얼마나 큰 재산인지 아직 알지 못하는 아이를 위해 부모가 함께 시작해야 합니다.

아이마다 속도가 다르다는 진리를 수시로 마음에 새겨주세요. 초등 6년 내내라도 만족스러운 자기 주도적 학습 습관을 갖게 될 때까지 반복하고 기다리고 격려하는 부모가 되어야 합니다. 엄마와 손바닥, 발바닥 크기가 같아지고 키도 더 커질 즈음이 되면 공부 주도권은 아이에게 넘어가야 합니다. 아이마다 과목별로 시기의 차이는 있겠지만, 늦어도 초등학교를 졸업하기 전까지 아이가 주도하고 부모가 지원하는 형태의 공부 습관이 자리잡혀야 합니다.

중고등학생이 되었는데도 초등 저학년 때처럼 부모가 아이의 공부를 주도하고 막강한 권력으로 끌고 가려고 하면 아이와 사사건건

부딪칠 수밖에 없습니다. 그러니 아무리 힘들어도 지금 제대로 된 공부 습관을 만들고, 몇 년 후부터는 아이 혼자 해내는 것을 목표로 해야 합니다. 지금 잡아놓은 습관이 평생을 간다는 마음으로 아이에게 관심과 격려, 칭찬을 쏟아부어야 합니다. 아이가 "이제 제가 혼자 해볼게요." 하고 경쾌하게 도전할 수 있도록 초등의 긴 시간 동안 충분히 연습하고 실패와 성공을 고루 경험하게 하는 것이 지금 우리가 할 일입니다.

친구들보다 더 두꺼운 영어책을 읽고, 영어학원의 레벨 테스트 결과가 괜찮다고 해서, 수학을 학교 진도보다 더 앞서간다고 해서 잘 가고 있다고 안심하거나 더 달려야겠다고 결심하지 않았으면 합니다. 우리가 초점을 맞추어야 할 것은 '얼마나 빠르게 가고 있는가'가 아니라 '제대로 된 방향을 향해 가고 있는가'이기 때문이지요.

자기주도학습이라는 뚜렷한 목표를 향해 가다 보면 아이마다 다른 시기를 만날 거예요. 지금까지의 성장 속도와 비교할 필요가 없습니다. 지금껏 아이가 밟아온 신체, 언어, 학습 발달 등은 교육의 결과라기보다는 타고난 것의 영향이 크기 때문입니다.

김연아 선수는 8개월부터 걸음마를 했다는데, 이런 몸의 감각은 엄마의 혹독한 걸음마 훈련 덕분이 아닙니다. 아이가 말이 빠르고 한글도 일찍 뗀 편이라고 해서 매일 반복적인 말하기 수업을 듣고 세 살부터 한글 쓰기 연습을 한 덕분이 아닌 것처럼요. 단지 언어, 학습 지능을 타고났을 뿐입니다. 반대로 조금 느리고 서툴어 보이는 아이의 부모는 아이를 마냥 방치해두었던 걸까요? 조금만 생각해보면 아니라는 걸 알 수 있습니다.

지금까지의 성장 속도가 타고난 유전적 영향을 받았다면 초등 시절부터는 달라질 겁니다. 초등 6년의 어디쯤에서 '이제 됐다'고 느껴지는 최고의 순간을 만나게 될지는 우리 손에 달렸습니다. '나의 에너지를 아이 습관 만드는 일에 쏟아보겠다'는 마음으로 매일 꾸준히 적어도 1년 이상의 탑을 쌓아가는 수고가 필요합니다. 우리가 아이에게 믿음이 생길 즈음이 되면 비슷한 순간에 아이도 또렷하게 느끼게 됩니다.

이제 혼자 해봐도 되겠다고 느껴지면 아이의 질문이 확연히 줄어듭니다. "뭐 해?", "언제 해?", "몇 장 해?", "몇 줄 써?", "오늘도 해?", "오늘 안 해도 돼?", "몇 시까지 해?" 하고 일일이 확인하고 허락받던 아이가 하나씩 질문을 줄여가기 시작합니다. 스스로 오늘 공부 시간을 체크하고 해야 할 공부의 순서를 정하고 목표대로 마쳤는지 확인하고 반성하는 일이 시작됩니다. 이런 아이의 모습을 초등 시기에 만나는 것은 엄청난 행운이니 미리 축하드립니다.

아이만의 공부가 시작되었다고 느껴지면 우리는 아이가 눈치채지 못할 만큼 아주 작은 걸음으로 조금씩 뒤로 물러서야 합니다. 물러난 걸음만큼 엄마, 아빠가 너를 믿고 지지하고 있다는 강한 격려와 뜨거운 칭찬을 더 부지런히 해야 합니다.

스스로 하는 방법을 하나씩 깨우쳐 가느라 실수와 실패를 반복하며 성장하고 있는 아이를 한결같은 따뜻한 시선으로 바라봐주세요. 처음 만나는 길 위에서 자주 고민되고 흔들리고 막막하겠지만, 아이가 겪고 있는 지금의 고민과 경험이 결국 아이를 성장시킬 것입니다. 믿는 만큼 자라고, 가르치지 않아야 배웁니다.

★03★

가장 중요한 일은 '큰 그림'을 그리는 것

"맞벌이 부부라 아이 공부를 봐줄 수 없으니 학원에 맡길 수밖에 없죠."

"아빠는 퇴근이 늦고 어린 동생이 있어 집에서 봐주는 게 쉽지 않아요."

"시간은 여유 있는 편이지만 내 애를 가르치는 건 너무 힘들어요."

"공부는 어차피 혼자 하는 거 아닌가요. 알아서 하겠죠, 뭐."

"학원 선생님이 서울대 출신이신데 척척 진도를 잘 빼주시더라고요."

"공부는 전문가에게 맡겨야지요. 제가 하다가 오히려 그르칠까 걱정돼요."

"애 가르치다가 연 끊을 뻔했어요. 내 자식은 가르치는 게 아닌가 봅니다."

네, 맞습니다. 부모님의 심정 충분히 이해됩니다. 아이의 공부습관을 부모가 주도하지 못하고 학원과 학습지에 의존하는 이유는 다양하고 현실적입니다. 그렇다고 알아서 하라고 하자니 이제 공부를 막 시작한 초등 아이가 꾸준히 하지 못하는 것도 당연합니다. 돈만 내면 척척 알아서 공부 제대로 시켜주겠다는 학원이 현관문만 열고 나가면 줄을 서 있습니다. 저 역시 무수히 해봤던 고민이고, 교실의 학부모님들께 상담 주간마다 듣던 질문입니다. 그래서 지금 무엇 때문에 고민스러운지 조심스레 짐작할 수 있습니다.

학원과 학습지의 도움을 받는다고 안 좋은 일이 일어나는 것도 아니긴 합니다. 단원평가 성적 그럭저럭 잘 나오고, 학교생활에 큰 문제 없고, 학원 숙제 꼬박꼬박 잘해가면 되는 거 아닌가요? 시간이 흘러 고학년이 되고 중고등학생이 되면 학년에 맞게 적당히 학원 개수와 과외를 늘리고 높아지는 사교육비를 감당할 만한 돈을 준비하는 게 현실적인 입시 준비 아닐까요? 그렇게 해서 일류대학에 합격한 아이들도 물론 있습니다. 어쩌면 입시의 필수조건은 훌륭한 학군, 일류 강사, 고액 과외가 아닌가 싶기도 합니다.

그런데 제가 고민했던 부분이 바로 이 지점이었습니다. 아들 둘을 데리고 소위 말하는 좋은 학군으로 이사 가야 하나 고민하며 그 동네 아파트 전세 금액을 검색하다 '헉' 하고 놀라 그만두었습니다. 그렇게 수없이 고민하며 뒤적이다가 '나는 우리 아이들이 앞으로 어떻게 공부하기를 기대하는가'라는 본질적인 질문을 던지기 시작했습니다. 성격이 고분고분하지 않고 눈에 띄게 총명하지도 않은 이 아이들이 앞으로 학창 시절을 잘 보내려면 부모인 내가 무엇을 해야 할지를 깊이 고민했습니다.

해마다 수능시험이 치러진 날이면 점수를 비관하여 돌이킬 수 없는 선택을 하는 학생들이 있습니다. 또, 학교 폭력에 오랜 시간 시달리면서도 부모에게 털어놓지 못하고 끙끙 앓다가 생을 마감하는 가슴 아픈 소식은 이제 우리에게 낯선 일이 아닙니다. 그런데 이런 일이 정서적으로 극심한 문제가 있는 일부 학생들에게만 일어나는 일이라고 할 수 있을까요? 과연 남의 일이라고만 생각할 수 있을지 고민은 오랜 시간 계속되었습니다.

결론부터 말씀드릴게요. 반드시 기억해야 할 한 가지가 있습니다. 지금 내 옆에 잠들어 있는 이 사랑스러운 아이는 로봇이 아니라는 것입니다. 이 예쁜 아이가 언제까지 지금처럼 학원 가라면 가고, 공부하라면 하고, 책을 읽으라면 얌전히 책을 읽고 앉아 있을까요? 5년, 10년 후에도 지금의 모습과 같을 거라는 확신이 없습니다. 죽이고 싶어진다는 사춘기도 곧 닥칠 거고요. 훌쩍 자란 키로 저를 내려다보며 "싫은데" 하고 무표정하게 답하고는 사라지기도 하겠지요.

아이는 달라질 거예요. 달라지는 아이의 모습은 나쁜 게 아니고 나이에 맞게 잘 자라고 있다는 증거입니다. 중고등학생이 된 아이가 여전히 부모 말에 고분고분 순종하며 엄마의 지시를 기다리는 모습은 상상만 해도 끔찍합니다. 달라지고 성장하는 과정에서 아이는 부모의 말을 더 이상 귀담아듣지 않고, 불만에 가득 차 반항할 수도 있을 거예요.

초등 시절부터 옆에서 주입해준 방법, 순서, 과제에 떠밀려 수동적으로 공부하다가 학원 생활과 문제집 풀이에 질려버린 아이들이 어떤 모습의 중고등학생으로 성장하는지 상상해본 적 있으세요? 본격적으로 집중해서 공부해야 할 시기에 학원을 거부하고, 그렇다고 스스로 공부하지도 못해 긴 시간 방황하며 부모를 애태우는 아이가 바로 내 아이일 수 있습니다. 꿈쩍 않고 거부하는 아이를 간신히 설득해 학원에 밀어 넣으면 의욕을 잃은 아이는 학원의 전기세를 내주다가 늦은 밤 피곤한 몸으로 돌아오겠지요. 스스로 생각하는 힘을 키울 기회를 얻지 못한 아이는 어떤 모습의 성인이 되어 인생을 살아가게 될까요?

초등 4학년 교실의 우리 반 아이들이 아침이면 모여 앉아 나누던 대화가 있었습니다.

"너 오늘 학원 몇 개야?"

"너 오늘 학원 다 끝나면 몇 시야?"

비교 끝에 학원 개수가 가장 많은 친구는 어두운 표정으로 한숨을 쉬고, 학원 개수가 적고 일찍 끝나는 친구는 밝은 미소를 지어 보입니다.

어느 날은 한 아이가 체육 시간에 몸이 좋지 않다고 해서 벤치에서 쉬라고 한 적이 있습니다. 혼자 있기 심심할 것 같아 가봤더니 중얼중얼 무언가를 외우고 있더라고요. 영어 문제집 지문을 외워가는 학원 숙제를 마치지 못해 아프지도 않은데 아프다고 핑계를 댔다고, 죄송하다고 솔직하게 말합니다.

학원에 잘 다니는 줄만 알았던, 그런대로 열심히 잘하고 있는 줄만 알았던 아이가 혹시 학교에서 이런 모습은 아닐까요? 훌륭한 사람이 되기 위해 꼭 필요한 거라며 떠미는 부모의 응원에 못 이겨 뭘 해야 하는지, 무엇을 위해 해야 하는지 모른 채 그저 로봇처럼 학원 버스에 오르고 있는 건 아닐까요?

공부를 얼마나 어떻게 시작할 것인지에 대해 하나씩 고민하며 내 아이를 위한 그림을 그려봅시다. 아이를 위한 고민으로 늦은 밤까지 눈이 침침하도록 스마트폰을 손에서 놓지 못하는 날이 잦다면 지금 잘하고 계신 거예요. 아이가 잘하는 것과 잘해야 하는 것 사이에서 최고의 균형을 찾아가는 일, 그것이 초등 아이의 큰 그림을 그리는 부모가 해야 할 가장 중요한 일이랍니다.

지금 해야 하는 일은 힘들어도 지금 하는 게 맞습니다. 계속 시도하세요. 학교 공부, 사교육, 독서, 여행, 견학, 운동, 악기, 건강 등 우리가 지원할 수 있는 아이의 다양한 분야에 대해 아빠와 엄마가 수시로 대화를 나누어보세요. 도저히 좁혀지지 않는 의견 차이로 결국 열매를 맺지 못할 수도 있지만, 아이 교육에 관한 배우자의 생각을 알게 된 것만으로도 의미 있는 시간입니다. 누구를 탓할 일도, 혼자 끙끙 앓으며 고민할 일도 아닙니다. 어떻게 하면 더 예쁘게 그려볼까를 기대하며 설레어보세요.

04

매일 공부의 종착지는 '자기주도학습'입니다

아이가 목표한 성적을 얻고 꿈을 이루기 위한 최선의 방법을 고민하는 건 적어도 대한민국에서는 아이만의 일이 아닙니다. 우리의 입시는 당사자인 아이에게도, 지켜보는 부모에게도 한 번은 겪어야 할 고통스러운 짐이 분명합니다. 잘하는 아이도, 못하는 아이도 똑같이 힘들고 괴롭습니다. 고3 수험생이 있는 집에서는 일 년 내내 발걸음 소리도 조심스럽고, 가족은 물론 할아버지, 할머니까지도 관심과 지원을 보내며 결과를 기대하는 것이 평범한 우리네 모습입니다.

과정만 괴로운 게 아닙니다. 정해진 틀에 맞추어 성공과 실패가 대번에 구분되며, 그 결과가 인생의 많은 것을 결정해버리니 말입니다. 드라마 <스카이캐슬>의 진기한 장면과 대사들이 정말 남 일이기만 하다면 그렇게 높은 시청률과 화제를 낳기는 어려웠을 거예요.

초등 아이의 매일 공부 습관은 아이를 위한 제언만은 아닙니다. 학원 서너 개만 보내면 어느새 수십만 원이 훌쩍 넘습니다. 아이가 둘 이상이라면 매달 얼마나 큰 돈이 학원비로 사라지는지 계산하다 보면 길에서 돈 잃고 온 심정입니다. 물려받을 재산이 든든하거나, 월세 수입이 있는 건물주라면 상관없겠지만 말이죠. 적어도 제가 교사로, 엄마로 오랜 시간 지켜보았던 대부분의 학부모는 대출 이율이 더 낮은 은행을 찾느라 발품을 팔고, 큰맘 먹고 준비한 해외여행을 다녀와서는 다음 달 카드값을 걱정하고, 조금이라도 가성비 높은 물건을 찾기 위해 늦은 밤까지 검색하는 이들이었습니다.

아이들에게 들어가는 높은 교육비가 부담스러워 육아와 직장을 병행하느라 몸과 마음이 너덜너덜해져 가는 엄마들도 적지 않습니다. 저의 모습도 그들과 다르지 않았습니다. 아빠들은 어떨까요? 쏟아지는 잠을 이겨내고 매일 출퇴근하며 치열하고 치사한 회사 생활을 근근이 버팁니다. 회사 안이 전쟁터라면 밖은 지옥이라더니 전쟁이나 지옥이나 힘들기는 마찬가지입니다.

한 푼도 쉽게 얻어지지 않는 것이 돈입니다. 그런데 그렇게 조금이라도 아끼기 위해, 조금이라도 더 벌기 위해 애쓰면서 왜 학원비를 내고 고가의 전집을 들이는 일에는 거침이 없을까요? 그것이 아이에게 가장 필요하고 좋은 것이라는 확신이 있는지 짚어보아야 합니다. 결정의 근거가 혹시 주변에서 모두 시작한다는데 따라 하지 않으면 불안한 마음은 아니었는지 확인해보세요. 보내면서도, 사면서도 확신이 없었는데 아이마저 시큰둥하다면, 부모와 아이 모두를 위해 하나씩 정리하기를 진심으로 권해드립니다.

엄마들 모임에 나가 있으면 온갖 얘기가 귀에 들어옵니다. 안 듣는 게 나았을 이야기도 많지만, 그렇다고 아이를 위해 나가는 모임인데 딱 끊고 살기도 쉽지 않습니다. 똑똑하고 공부 잘하는 누구는 어느 학원에 다니더라, 어떤 수업을 최근에 시작했는데 해보니 괜찮더라, 3학년 때는 시작해야 늦지 않는다는 말을 듣고 다급하게 검색하고 학원 상담을 받으러 다니느라 분주하진 않으신가요? 더 많은 전집을 들여주고, 더 다양하고 특별한 사교육을 시키는 것으로 아이를 향한 막연한 불안감이 없어진다면 얼마나 좋을까요?

책을 주문한 날, 새로운 학원에 등록한 날은 이제 좀 뭔가 자리잡힌 듯해 잠시 숨을 돌리지만, 며칠 가지 않습니다. 혹시 나만 모르는 더 좋은 수업이 있는 건 아닐지, 지금보다 더 잘 가르치고 진도를 확빼주는 학원으로 옮겨야 하는 건 아닌지, 학원이 아니라면 문제집이라도 사다가 매일 시켜야 하는 건 아닌지 고민됩니다. 결국 우리의 불안감은 근본적으로 해결되지 않습니다.

이렇게 불안한 이유는 선택의 기준이 내 아이가 아닌 '다른 애들'이기 때문입니다. 충분히 꾸준히 즐겁게 하고 있는 아이를 보면서도 만족스럽지 못하는 이유는 더 잘하고 더 뛰어난 아이 친구 때문입니다. 학부모 공개수업에서 우리가 정성껏 살피는 아이가 내 아이가 아니라 똑똑하다고 소문난 그 아이는 아니었나요? 그 아이의 야무진 모습을 부러워하느라, 내 아이의 부족한 부분을 보며 속상해하느라 좋은 시간을 허비한 건 아닐까요? 내 아이의 마음과 생각은 유심히 들여다보지 않고, 똘똘하다는 그 아이를 발끝까지 분석하느라 긴 시간을 보내고 있지는 않은지 점검해보세요.

내가 관심을 집중해야 할 사람은 나의 한마디에 이리저리 흔들리는, 비교 지옥에 빠져 불안해진 엄마의 눈치를 살피고 있는 세상 가장 사랑하는 내 아이입니다. 이제 비교는 그만하고 내 아이가 잘하고 좋아하는 것을 마음껏 경험하고 배우도록 도울 방법을 생각해야 합니다.

공들여 완성한 아이의 습관은 분명 아이를 위한 것이지만 함께 노력하고 애쓴 부모에게도 선물로 돌아옵니다. 매일의 공부를 위해 마주 앉아 아이를 알아가고, 점점 더 풍성한 대화를 나누면서 부모도 함께 성장합니다. 습관이 잘 잡힌 아이들은 초등 저학년임에도 스스로 야무지게 약속한 분량의 공부를 해내어 부모의 바쁜 손을 덜어주고, 이제 아이 혼자 할 수 있겠다는 자신감으로 엄마가 다른 꿈도 꿀 수 있게 합니다. 사춘기가 되어 예민해진 아이와 적어도 공부 때문에 실랑이하는 일도 덜 수도 있겠죠. 자기주도적 공부 습관이 초등 아이와 부모에게 최선의 선택일 수밖에 없는 이유입니다.

과목별 매일 공부 습관 만드는 법

초등학생은 다양한 과목을 접하면서 본격적인 공부와 배움을 시작합니다. 동시에 부모는 유치원 때까지는 좀 이르다고 느꼈던 학습에 관한 고민을 진지하게 시작하게 되고요. 중고등에 배울 과목이지만 초등에서 먼저 접해야 할 것 같아 조금 더 빠르게 진도도 나가봅니다. 그걸 모를 리 없는 사교육 시장에서는 늦으면 안 된다며 부추기고, 앞집도 옆집도 시키는 주요 과목들이 아이 학년에 맞춰 유행처럼 쏟아지며 조급하게 만들지요. 우리 아이가 똘똘한지 어떤지, 공부할 놈인지 아닌지 알 수가 없으니 일단은 희망을 품고 열심히 해봐야 하는 시기가 초등이다 보니 엄마들은 머리가 아픕니다.

과목별로 해야 하는 공부는 어디까지인지, 어떻게 시작하고 지속해야 하는지에 관한 무수한 정보로 머릿속이 복잡했다면 여기서 함께 정리해보겠습니다. 누가 대신해줄 수 없는 결정이며 아이마다 차이가 있겠지만 초등 엄마라면 누구에게나 도움이 될만한 큰 틀을 드려봅니다.

정답은 없습니다. 아이들은 저마다 다르고, 부모인 우리의 성향, 교육관, 가정형편, 건강상태, 직업도 같지 않습니다. 그렇기에 제시해드리는 정보와 기준은 상황에 따라서는 전혀 도움이 되지 않을 수도 있습니다. 이렇게 정답도 아닌 어려운 이야기를 꺼내는 데는 분명한 이유가 있습니다. 반드시 해야 할지 확실하지 않다면 일단 시키고 보자, 하나라도 더 많이, 조금이라도 더 일찍 시켜보자는 강박에서 자유로워지기를 바라기 때문입니다.

왜 해야 하는지 모른 채 그만하고 싶어도 그러지 못한 채 한숨을 쉬며 학원버스에 오르고, 매일 어려운 문제집과 씨름하는 아이들을 진심으로 돕고 싶습니다. 초등 시기에 반드시 다져야 하는 과목을 강조하여 기본이 탄탄해지도록 돕고 싶고, 그렇지 않은 과목이라면 이 기회에 과감히 정리할 수 있도록 확신을 드리고 싶습니다. 우리 아이들이 꼭 필요한 것만 열심히 하고 남는 시간에 마음껏 뛰어놀고 좋아하는 책을 실컷 읽었으면 좋겠고, 덕분에 아낀 돈으로는 행복한 가족 여행을 계획하셨으면 합니다.

과목별 영역별 교과과정, 학교 수업, 평가 대비, 복습, 심화 과정, 관련 사교육, 엄마표로 시작하는 방법, 자기주도학습을 위한 준비, 문제집, 학습지, 학원 활용법, 관련 체험학습, 관련 영상 자료 등을 구체적으로 정리해보았습니다. 절대적인 기준이 아닙니다만 가정의 상황과 아이의 성향, 학년에 맞추어 섬세하고 지혜롭게 계획하는 데 분명 도움이 될 것입니다.

※ 본문에서 강조하는 교과서 복습을 위해 아이가 학교에서 사용 중인 교과서와는 별도로 가정에서 교과서를 개별 구매해 활용하시기를 권해드립니다

★ 교과서 온라인 구입처: 한국 검인정 교과서 협회(http://www.ktbook.com)

★ 교과서 오프라인 구입처: 한국 검인정 교과서 협회 홈페이지-교과서 구입-서점 구매 메뉴를 통해 각 지역 서점 판매 여부 확인 가능

★ 교과서 금액: 권당 평균 3,000원

01

[국어] 평생의 무기가 되는 읽기, 쓰기, 말하기

복습 | 평가 | 독해 문제집 | 글쓰기 | 글쓰기 포트폴리오 | 발표 | 경청 | 어휘력 | 독서 논술 | 토론

초등 국어 교육과정은 읽기, 말하기, 듣기, 쓰기, 문학, 문법의 영역을 폭넓게 다루고 있습니다. 이 모든 영역을 아우르는 목표는 독서를 통한 사고력 향상, 내 생각 표현하기, 어휘력 확장으로 정리할 수 있습니다. 이 가운데 독서는 단순히 국어에만 국한되지 않는 초등 공부의 중요한 영역이므로 따로 다음 장에서 자세히 다루겠습니다.

한글을 떼고 독서를 시작하면서 자연스럽게 초등 국어 영역과 만나게 됩니다. 이 과정에서 아이들에게 만만하고 재미있었던 '국어'

라는 과목이 가장 어렵고 지겨운 과목이 되는 안타까운 일이 흔히 일어납니다. 국어의 시작은 독서라는 기본 원리에 너무 충실한 나머지 지나치게 독서를 강요받고, 읽은 내용을 확인받고, 문제풀이를 반복하면서 서서히 국어 과목과 멀어지게 되는 것이죠.

교실의 아이들은 국어 시간이면 지루하다는 표정을 감추지 못하면서도 오랜 기간 다져온 문제풀이 신공을 발휘하여 교과서에 제시된 문제들을 가뿐히 해결해내는 모습을 보입니다. 아이가 내용을 제대로 이해하고 있는지 확인하고 싶은 마음은 충분히 이해하지만, 적어도 국어 과목에서만큼은 반복적인 문제풀이가 독이 되기도 한다는 사실을 기억해주세요. 문제 푸는 요령을 익히는 것보다 중요한 것이 독서를 통한 폭넓은 글쓰기, 토론, 어휘력 향상 등으로의 확장이기 때문입니다.

책을 읽고 글쓰기 훈련을 해야 할 소중한 시간을 문제풀이에 낭비하지 않았으면 합니다. 복습은 교과서만으로 충분합니다. 독서, 글쓰기, 토론, 어휘력 향상에 관한 초등 6년의 큰 그림을 가지고 거대한 탑을 쌓겠다는 느낌으로 접근해주세요. 당장 이번 학기에 풀어야 할 문제집도 중요하지만, 정작 목표로 삼아야 할 것은 6학년이 되었을 때 어떤 종류의 책을 소화해내고 어느 정도 수준의 글을 쓰는 아이로 성장할 것인지 그려보는 것입니다. 국어는 그 어떤 과목보다 공부하기 애매하고 사교육 영역이 다양한 만큼 목표를 명확히 설정하고 그에 필요한 학습 영역을 선별하는 지혜가 절실히 요구됩니다.

초등 국어 영역

한글	수업	복습	글쓰기	심화
받아쓰기 맞춤법 어휘력	발표 경청 토론	교과서 복습용 문제집	일기 논술	독해 문제집

초등 국어 교육과정

학년	1학기	2학기
1	1. 바른 자세로 읽고 쓰기	1. 소중한 책을 소개해요
	2. 재미있게 ㄱㄴㄷ	2. 소리와 모양을 흉내 내요
	3. 다함께 아야어여	3. 문장으로 표현해요
	4. 글자를 만들어요	4. 바른 자세로 말해요
	5. 다정하게 인사해요	5. 알맞은 목소리로 읽어요
2	1. 시를 즐겨요	1. 장면을 떠올리며
	2. 자신 있게 말해요	2. 인상 깊었던 일을 써요
	3. 마음을 나누어요	3. 말의 재미를 찾아서
	4. 말놀이를 해요	4. 인물의 마음을 짐작해요
	5. 낱말을 바르고 정확하게 써요	5. 간직하고 싶은 노래
	6. 차례대로 말해요	6. 자세하게 소개해요

학년	1학기	2학기
3	0. 책을 읽고 생각을 나누어요(온책읽기)	0. 책을 읽고 생각을 나누어요(온책읽기)
	1. 재미가 톡톡톡	1. 작품을 보고 느낌을 나누어요
	2. 문단의 짜임	2. 중심 생각을 찾아요
	3. 알맞은 높임 표현	3. 자신의 경험을 글로 써요
	4. 내 마음을 편지에 담아	4. 감농을 글로 나타내요
	5. 중요한 내용을 적어요	
4	0. 책을 읽고 생각을 나누어요(온책읽기)	0. 책을 읽고 생각을 나누어요(온책읽기)
	1. 생각과 느낌을 나누어요	1. 이어질 장면을 생각해요
	2. 내용을 간추려요	2. 마음을 전하는 글을 써요
	3. 느낌을 살려 말해요	3. 바르고 공손하게
	4. 일에 대한 의견	4. 이야기 속 세상
	5. 내가 만든 이야기	
5	0. 책을 읽고 생각을 나누어요(온책읽기)	0. 책을 읽고 생각을 나누어요(온책읽기)
	1. 대화와 공감	1. 마음을 나누며 대화해요
	2. 작품을 감상해요	2. 지식이나 경험을 활용해요
	3. 글을 요약해요	3. 의견을 조정하며 토의해요
	4. 글쓰기의 과정	4. 겪은 일을 써요
	5. 글쓴이의 주장	
6	0. 책을 읽고 생각을 나누어요(온책읽기)	0. 책을 읽고 생각을 나누어요(온책읽기)
	1. 비유하는 표현	1. 작품 속 인물과 나
	2. 이야기를 간추려요	2. 관용표현을 활용해요
	3. 짜임새 있게 구성해요	3. 타당한 근거로 글을 써요
	4. 주장과 근거를 판단해요	4. 효과적으로 발표해요
	5. 속담을 활용해요	

※출처: 2015 개정교육과정 의거 국어과 전 학년 단원별 목차, 2019년 기준

복습

국어 교과 복습의 핵심은 '교과서 지문의 내용을 정확하게 이해하고 있는가'입니다. 국어 수업은 차시별로 그 목표는 달라도 수업의 흐름은 비슷한 경우가 많은데, 대부분 교과서에 제시된 지문을 읽고 내용을 바르게 이해했는지를 확인하는 서너 개의 문제를 풉니다. 그 후 관련된 심화활동 한두 가지를 개별, 모둠별, 학급 전체의 형태로 해결하는 형태입니다. 1학년부터 6학년까지 이 흐름이 꾸준히 반복되고 있어 고학년이면 국어 시간에 으레 지문을 읽고 문제를 푸는 것으로 알고 척척 잘도 합니다.

가정에서 국어 교과서를 복습하는 방법도 다르지 않습니다. 어제 했던 거 말고, 내일 할 거 말고, 오늘 학교 국어 시간에 했던 차시의 지문을 읽고 문제를 풀어보는 것을 습관으로 만들면 충분합니다. 국어 활동 교과서는 학교 수업의 보조교재로 활용하기 때문에 가정 복습용으로는 적당치 않습니다. 국어 교과서만으로도 충분합니다. 국어 교과서의 문제를 무리 없이 해결해냈다면 오늘 복습은 끝내도 좋습니다. 시간 여유가 있고 아이가 의욕적으로 조금 더 하고 싶어할 때는 지문 낭독, 반복 읽기, 모르는 단어 사전 찾아보기, 가족에게 문제풀이 과정 설명하기 등의 활동을 추가하면 좋습니다.

교과서 복습을 하고 시간이 남았거나 부족하다고 느껴 복습용 문제집을 추가할 필요는 없습니다. 문제집을 두둑하게 쌓아놓고 다양하고 더 어려운 문제를 풀리고 싶은 건 욕심이라는 거, 기억하세요. 교과서 복습이 끝나고 시간이 남아 뭐든 더 시키고 싶다면 언제나 독서입니다. 공식처럼 외우세요. 꾸준한 독서를 통해 아무리 길고 어려운 지문을 읽어도 바로 이해할 수 있는 이해력과 사고력을 키우는 것이 가장 빠르고 확실한 방법입니다.

독서 시간을 늘리는 것이 언뜻 아무것도 안 하는 것 같고 친구들보다 느리게 가는 것 같지만, 뇌의 용량을 차곡차곡 늘리는 가장 중요한 작업을 하는 중이라는 걸 얼마 가지 않아 알게 될 거예요.

평가

국어 단원평가는 보통 1학년 2학기부터 시작되어 초등 6년간 한 달에 한두 번꼴로 치러집니다. 교사별 평가제도가 도입되면서 평가지, 문항 수, 시기, 횟수를 담임교사의 주관하에 학급별로 시행하고 있습니다. 학급별 평가계획에 따라 각 단원이 끝날 때마다 보기도 하고, 두 단원씩 묶어서 보기도 합니다.

우리를 두렵게 만드는 서술형 평가제도가 초등 전 과목에 걸쳐 전면 확대되고 있습니다. 그러므로 이왕이면 서술형 문항을 염두에 두고 평가에 대비하는 것이 객관식, 주관식까지도 수월하게 해결하는 방법입니다. 그렇다고 미리 겁먹을 필요 없습니다. 아이들이 수업 시간마다 교과서의 지문을 읽고 해결하는 대부분 문항이 이미 대표적인 서술형 문제이기 때문입니다.

수업 시간의 교과서 진도를 잘 따라가고 있고, 교과서로 복습할 때 문제의 뜻을 이해하여 문장으로 된 긴 답을 찾아 쓰고 있다면 별도의 평가 준비는 필요하지 않습니다. 이 경우, 학교의 평가를 대비한 복습용 문제집을 추가로 푸는 것은 시간 낭비일 수 있으니 교과서를 복습했을 때 어느 정도 풀어내는지에 따라 결정해주세요.

복습하면서는 지문과 문제를 꼼꼼히 읽는 습관이 잡혀 있는지, 답안의 글씨를 또박또박 쓰고 있는지, 맞춤법과 띄어쓰기를 점검하는지 등의 기본 습관을 확인해볼 필요가 있습니다. 지문을 읽고 나서 문제를 푸는 방식이 일반적이지만, 반대로 문제를 먼저 확인한 후에 지문을 읽는 아이들도 있는데 어느 방법이든 큰 상관은 없습니다.

단원평가를 볼 때면 후다닥 풀어버리고 점검 한번 없이 엎드리거나 낙서하며 시간을 보내는 아이들이 많아 안타까울 때가 있습니다. 시험지의 문제를 다 풀고 난 후에는 점검하는 습관을 길러주세요. 몰라서 틀리는 문제보다 덤벙거리다가 실수로 틀리는 문제가 더 많은 것이 초등 평가의 대세랍니다.

독해 문제집

보통 독해 문제집을 사다가 풀리는 것을 국어 공부의 필수로 생각하기도 합니다. 그러나 이 방법이 모든 아이에게 정답은 아닙니다. 독해 문제집을 꾸준히 푸는 것으로 의미 있는 성장을 경험하는 아이들도 분명 있습니다. 그러나 굳이 필요하지 않다면 시간 낭비, 에너지 낭비가 되기도 하는 것이 독해 문제집이니 꼭 확인하고 결정하시길 권합니다.

아이에게 독해 문제집이 필요한지 확인하기 위해서는 국어 교과서를 이용하는 것이 가장 확실합니다. 교과서의 문제를 풀어보게 했을 때 지문의 내용을 제대로 파악하여 답을 적을 수 있는가를 기준으로 삼으면 틀림이 없습니다. 교과서의 문제를 정확히 이해하고 답을 찾아내지 못하면 문맥을 파악하고 문제가 요구하는 답을 찾는 연습을 할 수 있도록 다양한 지문이 수록된 독해 문제집으로 경험을 늘려주세요. 지문을 이해하고 글의 내용을 확인하는 문제를 풀어보면서 교실 수업과 단원평가에 자신감을 갖도록 도울 수 있습니다.

하지만 교과서 복습이 선행되지 않은 상태에서의 독해 문제집은 의미가 없습니다. 또, 아이 수준보다 지나치게 높아서 좌절감을 주는 수준의 문제집 역시 독이 될 수 있습니다. 차분하게 읽고 생각해보면 무난히 해결할 수 있을 정도의 단계를 접하면서 국어, 독서, 글쓰기에 대한 두려움과 거부감을 없애는 것을 우선 목표로 삼으세요. 단계는 이후에 천천히 올려도 늦지 않습니다. 국어 교과서 지문도 읽기 싫어하고 어렵다고 느끼는 아이에게 더 어렵고 복잡한 수준의 지문과 문제가 어떤 의미가 있을까요?

글쓰기

초등 글쓰기의 핵심은 일기입니다. 한글을 떼고 처음 쓰는 글이 일기이고, 초등 6년간 꾸준히 쓰게 되는 글의 종류도 일기입니다. 국어 교과서 전 학년에 걸쳐 논설문, 생활문, 설명문, 동시 등의 글을 써보는 활동이 곳곳에 등장하지만, 사실 본격적인 글쓰기 훈련이라기보다는 새로운 글의 종류를 접하고 써보는 연습 정도의 의미입니다. 학교에서의 국어 수업만으로는 글쓰기의 체계적인 성장을 기대하기 어렵습니다. 매일의 일기 쓰기가 중요한 이유입니다.

초등 시절의 일기 쓰기가 바탕이 되어 중고등의 내신 서술형 평가에 대비하고, 대입 논술시험도 준비할 수 있습니다. 대학 때 리포트를 쓰고 취업할 때 자소서도 씁니다. 취업 이후에도 잘된 글쓰기는 업무수행에서 탁월한 능력을 발휘합니다. 평생을 활용하게 될 중요한 무기인 글쓰기 실력을 좌우하는 것이 바로 초등 시절의 일기라는 것, 이해되시죠?

저는 가르쳤던 반 아이들에게도 그랬고, 집에 있는 우리 아이들에게도 매일 글을 쓰게 합니다. 일기가 아니어도 좋으니 몇 줄이라도 쓰게 합니다. 시작은 일기였지만 점점 다채로운 색깔의 글로 익어가는 일기장 속의 글을 함께 보며 '뭘 해도 틀림없이 제 몫은 해내겠구나' 하고 안심합니다. 물려줄 재산이 없다며 원통해하지 말고 언제든 거침없이 편안하게 글을 쓸 수 있는 아이로 키워주세요. 지금은 그게 재산입니다.

자, 그래서 굳은 마음으로 힘을 내보려 하지만 마음처럼 되지 않습니다. "이렇게 쓸 거면 쓰지 마!"라는 고성이 오가고, 갈겨 쓴 글씨, 날마다 반복되는 영혼 없는 내용, 분량을 채우기 위해 반복되는 문장을 보고 있으면 이게 도대체 무슨 교육적 의미가 있나 싶어집니다.

"엄마, 오늘 뭐 써?"

일기장을 펼친 아이는 한숨을 쉬며 묻고, 그런 아이를 보며 엄마도 한숨이 납니다. 아이 입장에서 그날이 그날인 것도 이해는 가지만, 그렇다고 해서 일기를 쓸 때마다 뭘 쓸지 물어보는 아이를 보고 있자니 속이 답답합니다. 언제까지 일기의 주제를 부모가 정해주고, 부실한 내용을 참다못해 화를 내며 다시 써오게 하고, 학교 검사 전날 일주일치를 30분 만에 해치우고, 일기 검사가 없는 1년 동안은 한 줄도 쓰지 않기를 반복해야 할까요?

아이의 일기가 가족 모두의 부담이 되지 않도록 일기로 시작하는 '매일의 글쓰기'에 도전해보세요. 일기 쓰기가 조금 덜 힘들어지는 방법 몇 가지를 소개합니다.

1) 즐거운 순간을 놓치지 마세요.

하루 중 아이가 깔깔 웃으며 즐거워하는 순간을 잡으세요. 이유는 다양하겠지요. 밥을 먹다가 재채기를 해서 밥알이 팝콘처럼 사방으로 튀어버린 황당한 순간, 자동차를 타고 가다가 본 트럭에 가득 실린 돼지들의 귀여운 모습, 좋아하는 유튜브 채널을 보며 낄낄거린 일, 오늘따라 스마트폰 게임의 성적이 좋아서 뿌듯해한 일까지. 온종일 기분 좋고 웃음 넘치기는 어렵지만, 하루에 한두 번쯤 크게 소리 내어 웃은 일이 있을 거예요. 그 순간을 놓치지 말고 곧장 일기의 소재로 만들어보세요. 잘 웃고 기분 좋아진 아이에게 슬쩍 이런 말을 건네보세요.

"와, 정말 재밌다. 오늘은 이걸로 일기 쓰면 좋겠네."

일기는 그날 하루의 일정에 관한 기록이 아님에도 여전히 많은 아이들이 하루의 시작부터 잠들기 전까지 있었던 모든 일을 시간 순서대로 나열하고 설명하는 글을 씁니다. 이렇게 쓰면 크게 힘들이지 않고도 공책을 어느 정도 채울 수 있기 때문입니다. 한 가지에 대해 자세하게 써보는 것이 훨씬 더 재미있고 쉽다는 걸 경험해보지 못했기 때문이지요.

외식, 여행, 영화, 가족, TV 프로그램 등 조금 큰 덩어리의 주제를 잡아 쓰는 것으로 시작하여 점점 더 구체적인 소재로 옮겨가 주세요. 오늘 있었던 일 중에서 가장 인상적이었던 요리, 맛, 냄새, 책 속 문장, 건물, 장면, 대화, 표정, 순간, 느낌, 행동 등 구체적인 소재를 깊게 다루어 가면서 글쓰기는 발전합니다. 조금 더 구체적이고 세부적인 묘사를 시도했을 때 크게 칭찬해주세요. 하루 중 어느 '순간'을 잡아 아이의 일기장까지 끌고 오려면 "이 얘기를 일기에 쓰면 정말 재미있을 것 같아"라는 부모의 기대감을 더해주는 것도 필요합니다.

2) 일기는 밝을 때 씁니다.

어른에게도 부담스러운 것이 글쓰기인데, 아이가 글쓰기를 즐겨하여 척척 써내기를 바라는 건 무리가 있습니다. 학원에 다녀와 저녁을 먹고 숙제도 하고 게임도 하고 텔레비전도 보고 슬슬 졸리고 피곤해서 쉬고 싶은데 마지막 남은 하나가 일기라면 일기가 곱게 보일 리 없습니다.

하루 중 가장 인상적인 일을 기록해야 한다는 이유로 보통 일기쓰기를 일과 중 가장 마지막으로 남겨두곤 하는데, 이런 방법은 감성이 폭발하는 사춘기 때나 통하는 이야기입니다. 초등 아이들은 잘 시간이 훨씬 지났는데도 한 시간째 일기장을 붙들고 있습니다. 이런 아이를 보고 있으면 조급해지면서 슬슬 짜증이 올라옵니다. 말도 곱게 안 나옵니다. 이제 생각을 바꿔보세요.

초등학생의 일기는 하루를 정리하고 반성하는 수단이라기보다는 꾸준히 글쓰기를 연습하는 도구로 접근해야 하므로 굳이 밤에 쓸 필요가 없습니다. 방과후에 간식을 먹으며 기분이 좋을 때를 놓치지 말고 일기 쓰기를 끝내는 습관을 들이세요. 너무 오랜 시간 일기장을 붙들고 있는 것도 습관입니다. 20분, 30분 정도의 시간을 스톱워치로 설정해두고 미션처럼 시간 안에 한 편의 글을 완성하도록 해보세요. 그 목표를 달성했을 때 맛있는 간식을 더하는 등의 즉각적인 보상을 주면서 매일의 글쓰기 탑을 쌓아가는 것도 방법입니다.

3) 목표 분량이 필요합니다.

가장 중요한 것은 글의 내용이지만 어느 정도 이상의 분량을 채울 수 있는 것도 글쓰기 능력의 중요한 축을 구성합니다. 그림일기장을 채우는 데는 고작 세 문장으로 충분했지만, 학년이 올라갈수록 공책의 줄 간격은 좁아지고 써야 할 분량은 늘어납니다. 분량을 자연스럽게 늘려보는 경험이 없었던 아이들은 6학년이 되어도 한쪽의 절반도 채우지 못하고 괴로워합니다.

그래서 저는 반 아이들에게 학년에 맞게 '최소 분량'을 정해주고 일기를 쓰게 했습니다. 3, 4학년이라면 '열 줄 이상' 이런 식으로 과제를 제시했습니다. 목표한 만큼의 분량을 채워보는 것 또한 의미 있는 글쓰기 훈련입니다. 때로 오직 분량을 채우기 위해 의미, 영혼, 생각이 빠진 '나는 오늘'로 시작되는 비슷한 일기를 몇 달이고 반복하는 아이들도 있지만, 그럼에도 꾸역꾸역 어느 정도의 분량을 채워 보기를 추천합니다. 목표했던 분량을 어쨌든 채웠다는 성공 경험이 되고, 억지스럽게라도 채워넣은 일기장을 다시 읽어보며 스스로 뿌듯함과 아쉬움을 느끼는 기회가 되기도 합니다.

이 '최소 분량'은 아이의 글쓰기 경험, 흥미, 독서력 등에 따라 다르게 설정되어야 하지만, 일반적인 학년 별 분량이 있으므로 참고해 주세요. 제시하는 분량은 학년별 최소 분량으로, 이보다 더 많은 양의 글을 쓸 수 있도록 칭찬과 보상으로 힘을 더해주세요.

학년	일기 쓰기 최소 분량
취학 전, 1학년	그림일기장 아래쪽 열 칸 공책 모두
2학년	간격 넓은 줄 공책 5~10줄
3, 4학년	간격 좁은 줄 공책 10줄
5, 6학년	간격 좁은 줄 공책 15줄

글쓰기 포트폴리오

한 해 동안 아이가 열심히 꾹꾹 눌러 쓴 글을 모아 보관하고 물려주는 일은 부모만이 해줄 수 있는 특권입니다. 일 년간 썼던 일기, 독서록, 주제 글쓰기 등의 기록을 모아 봉투에 담거나 묶어서 연도와 학년을 써서 보관하는 방법이 가장 간편합니다. 제가 초등학교 시절부터 이제껏 썼던 모든 일기장도 이렇게 모아져 있습니다. 우리 아이들은 가끔 제 어릴 적 일기를 펼쳐 보며 낄낄거립니다.

여유가 있다면 제가 소개하는 방법도 시도해보세요. 열심히 쓴 원고를 아무리 출판사에 투고해도 계약이 되지 않아 고민하다가 셀프 출판이라는 서비스를 알아본 적이 있어요. 일정 비용만 내면 내가 쓴 원고가 책의 형태로 인쇄되는 서비스입니다. 점점 더 많은 업체가 생기면서 다양한 옵션, 조금 더 저렴한 비용으로 가능해지고 있습니다.

저는 다행히도 출판사와 계약이 이루어져 셀프 출판을 하지 않아도 되었지만, 이 멋진 프로젝트를 우리 아이들과 해보려고 준비하고 있습니다. 아이 각자가 일 년간 쓴 원고를 모아 자기가 붙인 제목을 가진 한 권의 책으로 셀프 출판하는 거죠. 아이들 어릴 때 만들어서 소장하는 포토 앨범의 원고 버전이라고 생각하면 좋겠네요. 단 한 권도 인쇄가 가능하지만, 우리는 연말이 되면 스무 권 정도씩 제작하여 친구, 친지에게 새해 선물로 주려고 합니다. 물론 저와 아이들은 이 책을 평생 소장할 거고요. 기회가 된다면 대학 입시, 취업 등에 제출할 포트폴리오로 활용되도 좋겠습니다. 물론 시작은 판매용이 아닌 소장용이지만 언젠가는 판매용 책도 뚝딱 만들어내는 날이 오지 않을까 기대하고 있습니다.

셀프 출판 서비스를 운영하고 있는 사이트는 아래와 같습니다. 사이트에 들어가면 책의 판형, 수량, 컬러 등에 따라 간략한 견적을 받아보는 서비스를 제공하고 있습니다.

* 북셀프(www.bookself.co.kr)
* 이페이지(www.epage.co.kr)
* 교보문고POD(pod.kyobobook.co.kr)
* 북토리(www.booktory.com)
* 아이이북(www.iebook.co.kr)

발표

학부모 공개수업에 찾아가 아이의 모습을 보고 있자면 오만가지 생각이 듭니다. 잘하고 있어도 보는 내내 조마조마하고, 혹여나 기대에 못 미치는 모습이 보이면 마음이 편치 않습니다. 내 아이가 잘하는 모습만 봐야지 아무리 다짐을 해도 똑 부러지게 발표하고 열심히 참여하는 어느 집 아이가 눈에 확대되어 들어오고, 내 아이의 발표는 어딘가 부족하고 신통치 않게 느껴져 속이 상해본 적 다들 있으실 거예요.

그 순간 아이의 모습에 속상하고 안타까워 왜 이것밖에 못하냐며 나무라고 싶겠지만 참아야 합니다. 자녀가 평소에 내성적이고 자신감이 없는 편이라면 더더욱 허벅지를 찌르며 참아야 합니다. 다른 사람 앞에서 내 생각을 말로 표현하는 일은 타고난 성향에 따라 별일이 아니기도 하지만 한없이 두렵고 피하고 싶은 일이기도 합니다.

집에서는 종알종알 잘하면서 왜 학교에서는 자신감이 없냐고 다그치면 그 말을 듣는 아이는 더 답답하고 속상합니다. 친구들이 척척 발표하고 칭찬받는 모습을 보면 말도 못하게 부럽습니다. 발표 한 번 하려면 손을 들까 말까 백 번 고민하고 식은땀이 납니다. 그런 아이에게 너도 좀 너의 생각을 말해보라고, 재미있는 이야기를 해보라고, 씩씩하게 앞에 나가서 발표 좀 해보라고 다그친다고 쉽게 되지 않습니다. 오히려 발표에 대한 두려움이 커져 학교 가기가 싫어질 수 있습니다.

공개수업 때 자신감 없는 아이의 모습을 봤다면, 학교 상담에서 아이가 소극적이라는 담임 선생님의 말씀을 들었다면, 할 일이 하나 늘었다고 생각하세요. 오늘부터 하나씩 아이가 눈치채지 못하게 말하기 연습을 시작해주세요. 가정에서 이야기보따리를 풀어놓을 수 있는 허용적이고 자유로운 대화 분위기가 필요합니다. 아빠도 한 가지, 엄마도 한 가지, 즐거웠던 일, 속상했던 일, 화나고 억울했던 일, 크게 웃었던 일을 말로 표현해보세요. 별것 아닌 일도 이야기로 나눌 수 있구나, 아빠는 이렇게 말씀하시는구나, 엄마는 이렇게 표현하는구나 보고 배우며 아이도 이야기 해보려고 할 거예요.

누군가 나의 이야기를 들어주는 것에서 만족감과 뿌듯함을 느껴봐야 교실에서 발표할 용기가 생깁니다. 가정에서 칭찬받고 자신감을 쌓아가다 보면 교실에서도 자기만의 속도로 서서히 자기를 표현하기 시작합니다. 아이의 속도를 존중하고 조금만 더 기다려주세요.

경청

아이의 의견을 존중하고 의사를 물어 결정하는 가정의 대화 분위기는 아이가 본인의 생각을 정확하게 표현하고 자기 결정력을 높이는 데 유익합니다. 하지만 이런 분위기에서 간과하기 쉬운 것이 '잘 듣기'입니다. 아이가 질문하면 보통 부모들은 하던 일을 즉시 멈추고 아이의 질문에 대답합니다. 그것이 아이를 존중하는 것이라 생각하는데요. 놓치고 있는 부분이 있습니다.

점점 더 똑 부러지게 말하는 아이들은 늘어나고 있지만 잘 듣는 아이들은 찾아보기 어렵습니다. 아무리 궁금한 것이 있고, 필요한 것이 있어도 응급상황이 아니라면 상대의 말이 끝나길 기다리는 것이 기본입니다. 기다림을 경험해보지 못한 아이는 교실에서 의도치 않게 버릇없고 배려 없는 학생으로 오해받습니다. 선생님의 설명이 끝나기 전에 불쑥 궁금한 점을 묻거나 관련된 내용을 큰 소리로 말하는 아이, 친구와 대화 중에 말을 자르고 자기가 하고 싶은 말부터 하는 아이, 상대가 하는 말을 들으면서 "나 그거 아는데" 하고 과시하는 아이의 모습은 초등 교실에서 흔히 볼 수 있는 풍경입니다.

이 아이들이 결코 예의가 없거나 잘못 배워서 그런 것이 아닙니다. 언제나 잘 들어주고 의견을 물어봐 주는 부모님과의 대화에서 정작 듣는 연습을 할 기회를 만나지 못했을 뿐입니다. 어른들끼리 대화를 하고 있거나, 혹은 부모가 아이에게 설명하는 중에 "근데 엄마" 하면서 아이가 이야기를 꺼내려 한다면 부드럽지만 단호하게 "지금 엄마가 이야기 중이니까 끝날 때까지 조금만 기다려줘."라고 양해를 구한 후 대화를 이어가는 모습을 보여주세요. 그 경험을 통해 아이는 대화에서 상대를 배려하고 상대의 말이 끝날 때까지 기다리는 방법을 알아가게 됩니다.

어휘력

어휘를 늘리는 최고의 방법은 독서라는 걸 익히 알고 있고 신경을 쓰고 있지만, 어딘가 막연하게 느껴집니다. 초등학생의 국어 어휘력을 확인할 수 있는 공식적인 기준이 없으니 아이의 어휘가 학년에 맞게 잘 성장하고 있는지 불안감이 생길 수밖에 없습니다.

확인하기 어려운 영역의 실력을 높이는 가장 확실한 방법은 매일 조금씩 시간과 노력을 투자하는 것입니다. 다른 아이들과의 경쟁이 아닌, 지금 아이의 수준에서 매일 조금씩 이전보다 높여가는 것만으로도 충분히 의미가 있습니다. 모국어이기 때문에 특별한 노력을 들이지 않아도 서서히 발전하겠지만, 같은 반 친구들끼리도 어휘력의 차이가 꽤 벌어지는 것을 생각한다면 초등 시절에 신경 써야 할 영역임은 분명합니다.

말을 잘하는 것과 어휘력이 풍부한 것은 다릅니다. 단순히 말솜씨가 좋은 것과 사용하는 단어의 수준이 높은 것은 다르다는 의미입니다. 유창하게 말하는 아이도, 언어 발달이 또래보다 서툰 아이도 어휘력의 성장은 필요합니다. 부모의 노력으로 아이가 단어의 뜻을 몰라 대화, 공부, 시험에서 곤란해지는 상황을 막을 수 있다면 한번 시도해봐야 하지 않을까요? 책을 좋아하지 않는 아이라도 당장 실천으로 옮겨볼 만한 생활 속 어휘력 키우기 방법을 소개합니다.

1) 부모의 대화를 듣게 하세요.

성인들이 일상에서 사용하는 어휘가 곧 아이 어휘력의 기본 목표입니다. 일상의 주제에 관한 어른들의 대화를 무리 없이 이해하고 어른을 대상으로 한 안내문을 큰 어려움이 없이 이해하는 정도를 의미합니다. 그러니 부모의 자연스러운 대화를 매일 듣게 해주세요.

부부의 대화는 일상부터 정치까지 제한이 없으므로 아이가 다양한 어휘를 접하기에 더없이 적절합니다. 영어권 국가에 머물며 자연스럽게 영어 어휘에 노출 시키듯, 성인 옆에 머물며 성인의 어휘에 노출 시키는 원리입니다. 식사 시간이 가장 자연스럽겠죠? 하지만 부모의 퇴근이 늦은 편이라면 잠자리에 들기 전 거실에서 나누는 짧은 대화라도 괜찮습니다.

아이들과 함께 있는 시간이라고 해서 아이를 위한, 아이가 참여하는, 아이가 주체가 되는 대화만 할 필요는 없습니다. 아이가 들어도 무리가 없는 소재로 다양한 잡담을 나누세요. 부모를 관찰하면서 아이는 자연스럽게 성인들의 일상 어휘를 접하게 됩니다. 대화를 듣던 아이가 단어의 뜻을 물어오면 간단하게 설명하거나 뜻을 추측해 보게 하는 것으로 오늘의 어휘 목표는 달성입니다. 혹시 부부가 아이 앞에서 대화를 나누기 어려운 환경이라면 다른 방법을 소개해드릴게요.

2) 성인 대상 글, 영상, 신문, 안내문을 활용하세요.

성인을 대상으로 한 각종 안내문을 활용하세요. 가장 좋은 방법은 종이 신문이지만, 인터넷 신문이 보편화 되면서 종이 신문을 받아 읽는 가정이 줄어들고 있어 실천하기 어려운 면이 있습니다. 대안이 될 매체는 텔레비전 뉴스입니다. 매일 저녁 뉴스를 10분 정도 함께 보면서 보도되는 기사의 어휘에 노출되게 해주세요. 시사에 관한 관심으로도 연결될 수 있는 좋은 방법입니다.

다음으로 활용할 만한 안내문은 학교에서 배부하는 가정통신문입니다. 학교 운영 방침, 안내, 설문, 정보 등으로 채워진 학부모 대상의 가정통신문은 학교 운영 전반에 관한 상식을 넓히면서 교육 분야의 어휘를 접할 수 있는 보물 창고 같은 곳입니다. 학교에서 받은 가정통신문을 부모에게 전달하기 전에 아이가 먼저 읽어보고 무슨 내용인지 부모님께 말로 전달하도록 해보세요. 어느 정도 이해하고 있는지, 특정 어휘를 알고 있는지 파악하는 기회가 됩니다.

마지막으로 도서관, 주민센터, 아파트 엘리베이터 등의 게시판을 함께 살펴보는 습관을 들이면 좋습니다. 안내, 홍보, 경고 등의 다양한 내용으로 채워진 게시판을 읽다 보면 모르는 어휘를 만날 수밖에 없거든요. 함께 읽어가며 몰랐던 단어를 알아가는 기회로 삼아 보세요.

3) 국어사전을 항상 거실에 두세요.

초등교육 과정에 국어사전이 정식으로 등장하는 것은 3학년 1학기 국어 수업입니다. 이때 처음으로 사전 찾는 법을 배우고, 4학년 1학기가 되면 다양한 사전 활용법을 익힙니다. 하지만 배정된 시수가 한정적이기 때문에 어휘를 늘리는 데 도움이 되기보다는 사전 찾는 법을 익히는 것으로 끝나는 것이 보통입니다. 학교에서 처음으로 사전을 접하고 온 아이가 지속적으로 사전을 활용할 수 있도록 초등용 국어사전을 늘 거실에 두는 것을 추천합니다. 아끼느라 책장에 고이 꽂아두지 말고, 항상 아이 손에 닿게 하겠다는 마음으로 잘 보이는 곳에 놔주세요.

초등용 국어사전은 《동아 연세초등국어사전》, 《보리국어사전》 두 권이 대표적입니다. 서점에 나가 직접 두 권을 비교해보고 아이가 선호하는 것을 선택하여 구입해주세요. 두 권 모두 잘 만들어진 책이고, 결국 아이가 열심히 봐야 할 책이니 아이에게 선택권을 주고 애착을 갖게 해주세요. 책을 읽다가 모르는 단어가 나오거나 대화, 신문, 가정통신문, 게시판의 안내문 등에서 새로운 단어를 만나게 되면 바로 찾아보는 습관을 갖게 해주세요. 모든 단어가 무리라면 하루에 단어 하나만이라도 찾아보는 습관을 들이면 좋습니다.

4) 가족끼리 즐거운 말놀이

장거리 여행을 할 때 마땅히 할 일이 없는 자동차 안에서 가족과 할 수 있는 어휘력에 도움될 만한 놀이를 소개합니다. 어휘력 향상을 염두에 둔다면 아이들끼리만 하라고 하기보다 가족 전체가 참여하는 것이 효과적입니다.

①끝말잇기

흔한 놀이지만 어휘력을 향상할 매우 적절한 공부가 될 수 있습니다. 부모의 역할이 중요합니다. 아이가 알고 있는 일상의 단어보다는 아이 수준에서 조금 어려울 수 있는 새롭고 낯선 단어로 끝말을 이어가는 겁니다. '개'로 시작한다면 '개집'이 아니라 '개국'을, '자'로 시작한다면 '자전거'가 아니라 '자력'을 제시합니다. 새로운 단어를 접한 아이는 끝말잇기 도중이든 끝나고 난 후든 무슨 뜻인지 질문할 거예요.

②비슷한 말, 반대말 찾기

제시된 단어와 비슷한 단어, 반대되는 단어를 찾아보는 놀이입니다. 역시 아이가 이미 알고 있는 단어보다는 처음 접하는 단어를 다양하게 노출 시켜주는 기회로 삼으세요.

③관계있는 단어 찾기

한 사람이 제시한 단어와 어떤 식으로든 관계를 맺고 있는 단어를 대는 놀이입니다. '바다'가 제시어라면 관련된 단어로는 오징어, 파도, 배, 여행, 수영, 모래 등이 되는 거예요. 언뜻 관련이 없어 보여도 제시한 사람이 단어 사이의 관계를 논리적으로 설명할 수 있다면 가족의 동의를 얻어 '인정' 혹은 '불인정'을 결정하는 식으로 대결해 보면 토론으로 이어질 만큼 흥미진진한 놀이가 되기도 합니다.

독서논술

초등논술의 기본은 글쓰기입니다. 평소 일기 쓰기, 독서록 쓰기, 주제 글쓰기와 같은 글쓰기를 학교 숙제로, 혹은 가정에서 꾸준히 진행하는 중이라면 논술을 위한 여타의 사교육은 굳이 필요하지 않습니다. 일주일에 한 번 가서 읽고 쓰고 오는 수업보다는 매일의 읽고 쓰는 습관이 훨씬 효과적이기 때문입니다.

집에서 글쓰기를 지도할 때 다양한 소재, 논술 주제가 제시되어 있는 시중의 책을 참고하면 훨씬 수월합니다. 글은 쓸수록 실력이 는다는 걸 기억하세요. 더 잘 쓰고, 많이 쓰기 위해 무리하기보다는 날마다 꾸준히 쓰기를 목표로 여유로운 속도로 진행하는 것이 좋습니다. 부모가 욕심내지 않고 꾸준히만 한다면 절대 실패하지 않습니다.

물론 논술 사교육이 필요한 경우도 있습니다. 유난히 글쓰기를 힘들어하고 싫어하는 성향의 아이라면 학원 수업으로 자신감을 얻기도 하거든요. 집에서 1년 이상 꾸준히 글쓰기를 하고 있지만 좀처럼 성장하지 않고, 아이도 엄마도 스트레스가 심해지고 있다면 학원 수업이라는 새로운 시도가 전환점이 될 수 있습니다. 또, 맞벌이라 부모가 매일 글쓰기를 함께 할 시간적 여유가 없을 경우, 아이가 원한다면 논술학원 수업이 글쓰기 전체를 끌고 가는 버팀목이 될 수 있습니다. 하지만 이런 경우라도 저학년 아이들은 오히려 글쓰기에 대한 거부감이 생길 수 있으므로 어느 정도 글쓰기 기본이 된 중학년 이상의 아이들에게 권하고 싶습니다.

토론

초등학교 국어 수업에 토론이 등장하는 시기가 5학년인 것은 아이들의 지적 성장에 기반한 것입니다. 5학년이 논리적으로 사고하고 근거에 기반하여 주장할 수 있는 최소한의 시기이기 때문입니다. 물론 3, 4학년 국어 교과에도 서로의 생각을 나누어보는 활동이 등장하지만, 본격적인 토론의 시작은 5학년입니다.

5학년들은 교과서에 제시된 토론 주제로 모둠별, 학급별 토론을 경험합니다. 그러면서 자신의 논리를 표현하기 시작하는데요. 이전까지 토론 경험이 없더라도 수업 시간에 적극적으로 참여한다면 여타의 사교육은 필요하지 않습니다. 오히려 더 일찍 시키고 싶어 저학년 아이에게 토론 수업을 무리해서 시키면 토론에 대한 안 좋은 기억을 남기기도 합니다. 발달 단계상 논리적 사고가 어렵고 자기중심적일 수밖에 없는 아이들끼리 토론이라는 이름으로 말싸움을 주고받다가 마음만 상하고 끝나는 경우가 많거든요. 사교육으로 토론 수업을 하는 1~4학년 아이들에게 수업에 들이는 에너지, 비용, 시간만큼의 효과를 기대하기 어려운 이유입니다.

아이가 학교 수업을 통해 토론에 자신감과 흥미를 보인다면 고학년의 토론 사교육은 의미가 있습니다. 이제까지 생각하고 읽고 쓰면서 경험한 자기 생각을 토론이라는 형태에 담아 논리적으로 표현할 기회를 갖게 되지요. 학교에서의 토론은 주로 학급 전체를 대상으로 진행되다 보니 심도 있는 토론 기회가 부족한 것도 사실입니다. 소규모 토론 수업은 사고 작용이 활발해지고 성취감과 자신감을 느끼는 경우도 많고, 친구들끼리 그룹을 만들어 하므로 즐겁게 공부할 수 있다는 장점이 있습니다.

해마다 고학년을 대상으로 한 토론 대회가 전국, 지역, 학교 단위로 개최되고 있습니다. 만약 아이가 관심을 보이고 평소 자기 주장,

표현, 스피치에 자신을 보인다면 도전해보는 것도 좋습니다. 하지만 싫다는 아이를 떠밀어서 내보내면 나쁜 기억만 가지게 될 뿐이니 억지로 시키지 않았으면 합니다.

토론이라는 형태의 논리적 대화를 일찍부터 경험하게 해주고 싶다면 사교육보다 확실한 효과를 보장하는 것은 가족 토론입니다. 아직 자기중심적인 사고를 할 수밖에 없는 저학년 아이들에게는 또래보다 대화의 규칙과 논리를 부드럽게 허용해주는 부모가 훨씬 더 훌륭한 연습 상대이기 때문입니다.

토론의 기본은 대화입니다. 따라서 가장 활발하게 대화할 수 있는 시간을 확보하여 한 달에 한 번, 일주일에 한 번이라도 아이의 관심사가 반영된 토론 주제로 이야기를 나누어보세요. 처음부터 딱딱하고 어려운 주제를 선정하기보다는 자연스러운 대화, 의견 교환이 이루어지는 분위기를 만든 후 주제에 따른 토론을 시도해보는 것이 좋습니다. 가정에서 활용할 만한 토론 주제의 예시를 알려드릴게요.

★ 가정 토론 주제

1. 초등학생이 스마트폰을 사용하는 것은 괜찮은가?

2. 초등학생이 화장해도 될까?

3. 사형제도 폐지 vs 존속

4. 인간을 위한 동물 실험은 계속되어야 하는가?

5. 가난한 사람들을 위해 도적질을 한 홍길동의 행동은 옳은가?

6. 인공지능은 인간을 행복하게 만드는가?

7. 아파트에서 애완동물을 길러도 되는가?

8. 초등학생에게 선행학습이 필요한가?

9. 초등학생들에게 시험은 꼭 필요한 것인가?

10. 초등학생들의 카카오톡 사용 규제가 필요한가?

초등 국어 영역 학습 계획 예시

영역	학년	필수	선택(가정)	선택(사교육)
수업	전학년	경청 발표	가족 대화	스피치 수업, 대회
복습	전학년	국어 교과서	독해 문제집 복습 문제집	국어 학습지 국어 보습학원
어휘	전학년	독서	어휘 문제집 사전 찾기 어휘 관련 말놀이	어휘 학습지 국어 보습학원
글쓰기	전학년	일기	주제 글쓰기	글쓰기 학습지
논술	4학년 이상		논술 주제 글쓰기	논술 학습지 논술 수업
토론	4학년 이상		가족 대화 가족 토론	독서/역사토론 수업, 토론 대회, 하브루타 수업

02

[독서] 입시 성적을 결정 짓는 결정적 차이

초등 독서 적정 시간 | 만화책 | 독서 환경
독서록 | 독서 리스트 | 듣는 독서

.... 매일 공부의 힘을 키우기 위해 가장 중요한 한 가지를 꼽으라면 독서입니다. 그만큼 중요한데도 학원 다니랴, 숙제하랴 책 읽는 시간은 뒷전일 때가 많아 안타까운 마음입니다. 많은 초등 부모가 "독서를 많이 하는 건 당연히 좋은 일이지만 학원 다니면서 숙제하고 문제집 풀 시간도 없는데 독서를 그렇게 꼬박꼬박 하기는 어려워요." 하고 하소연합니다.

직언을 드리자면 독서 할 시간이 없을 만큼 바쁜 일정이라면 그건 지금 아이의 일정에 문제가 있는 겁니다. 독서 할 시간이 충분치 못하다는 고민은 중학교 이후에 할 수는 있어도 아직은 아닙니다. 수치화된 통계는 나오지 않았지만, 교실에서 만났던 많은 학생의 경우를 되짚어 큰 틀에서의 결론을 내려본다면 그들의 입시 성적을 결정지은 건 초등학교 때의 성적이 아니라 '독서'였습니다.

초등 시절 올백을 맞지 못했지만 꾸준히 폭넓은 독서를 한 아이들은 중고등학생이 되어 상위권으로 치고 나가는 공통점을 가지고 있었습니다. 그에 비해 암기에 능하고 문제집을 열심히 풀어 단원평가에서 늘 백 점을 맞았지만 독서를 소홀히 했던 아이들은 뒷심을 발휘하지 못하는 모습을 발견할 수 있었습니다. 이 비밀을 잘 알고 있는 선배 선생님들이 자녀에게 신경 써서 독서를 시키는 모습을 오랜 시간 지켜보기도 했고요.

초등 아이의 성적을 신경 쓰고 있다면 가장 중요한 한 가지는 역시 독서입니다. 독서 시간을 확보한 상태에서 숙제와 공부를 해나가야 합니다. 10년이 넘는 오랜 학창 시절을 단단하게 지탱해주는 힘, 사교육의 도움이 아닌 스스로 길러진 논리적 사고력으로 고된 입시를 준비해나가는 힘이 되어주는 것이 독서이기 때문입니다.

책을 통해 집중력, 어휘력을 키우고 사회, 과학 분야의 지식을 습득하는 일, 상식을 넓히는 일은 독서의 기능 중 일부분일 뿐입니다. 뇌 성장이 가장 활발하고 결정적으로 이루어지는 초등 시절의 독서는 평생을 사용할 두뇌의 힘과 범위를 키우는 중요한 역할을 한다는 점에 주목해야 합니다. 이 시기에 만들어진 뇌의 용량과 폭넓은 사고력은 우리 아이들이 성인이 되었을 때 갖게 되는 직업 현장에서도 최대의 능력을 발휘하는 힘이 됩니다.

그럼 이제 우리 아이의 매일의 독서 습관을 잡기 위한 방법을 함께 고민해볼게요. 미루지 말고 오늘부터 매일 실천으로 옮겨보세요.

초등 독서 영역

시간	분야	독서 기록	책 선택
학년별 적정 시간	학습용 문학/비문학 만화책	독서록 독서 포트폴리오	책 선택 기준

초등 독서 적정 시간

학년과 상관없이 초등학생들이 매일 해야 하는 독서의 최소 시간은 30분입니다. 그 이상 할 수 있다면 더욱 좋습니다. 아이에게 책을 읽는 일이 공부, 의무, 숙제로 느껴지지 않는다면 주말이나 방학, 여행, 명절에도 30분 독서를 유지하면 좋습니다. 아직 책 읽는 습관이 자리잡히지 않아 30분 독서를 힘겨워하는 경우라면 평일만 하는 것이 좋습니다. 적어도 평일만큼은 30분 이상의 독서 시간을 지킬 수 있도록 규칙으로 정하고 습관이 잡힐 때까지 적절한 보상을 제공해 주세요.

아직 읽기 독립이 되지 않았다면 30분 동안 책을 읽어주고, 스스로 읽을 수 있는 아이라면 혼자 집중해서 30분씩 읽는 습관을 들여 주세요. 지루해하고 그만 읽고 싶어하는 아이를 설득하고 혼내기도 하며 독서 시간을 확보하고 늘리는 일은 쉬운 일이 아닙니다. 원래 책을 좋아하는 아이라도 스마트폰 게임과 텔레비전 시청의 기회가 있다면 그것을 먼저 하려고 하니까요.

방과후의 일정에 따라 시간의 여유가 있는 날이 있고 아닌 날도 있을 거예요. 일정에 따라 융통성 있게 최소 30분, 혹은 한 시간 이상의 독서 시간을 미리 확보해두세요. 짬이 날 때마다 학교 도서관, 지역 도서관에서 시간을 보내는 습관을 갖게 해주는 것도 좋습니다. 도서관에 데려갔더니 오히려 만화책 보는 습관만 생겼다며 도서관을 흉가 보듯 멀찍이 피하시는 분들도 계시는데요, 만화책이라도 읽으며 도서관의 분위기에 적응해가면서 천천히 글 책도 한 권씩 읽기로 약속하면서 습관을 잡아주세요. 재미있게 잘 읽고 있는 책은 등교할 때 챙겨 보내주세요. 학교에서는 수업 시간에 개별 과제가 끝나면 독서를 하는 경우가 많은데, 이 시간을 잘 활용하면 매일 30분의 독서 시간은 충분히 확보된답니다.

만화책

책을 좋아하여 잘 읽는 아이인 경우에도 고민은 있습니다. 그 고민거리는 바로 '학습만화'입니다. 만화책만 읽으려 하고 만화책은 오랜 시간도 곧잘 읽어내는 아이를 보며 언제까지 저렇게 두어야 할까 걱정되실 거예요.

책을 읽어 달라고만 하고 혼자는 못 읽겠다고 하던 아이가 만화책을 잡으면서 달라지는 경우를 보셨을 거예요. 만화책을 읽을 때만큼은 혼자서도 의젓하게, 서툴지만 어떻게든 읽어내려 애를 씁니다. 그만큼 만화책은 읽기 독립을 위한 효율적인 수단이 될 수 있습니다. 따라서 초등 입학을 앞두고 읽기 독립을 시도하고 싶다면 만화책을 적극 활용해보세요.

만화책이 무조건 나쁜 건 아닙니다. 아이가 읽는 학습만화를 들춰본 적이 있다면 그 안에 담긴 풍부한 정보와 상식에 놀라셨을 거예요. 역사, 과학, 수학, 영어 등 학습적인 내용을 소재로 하고 있다면 책 안에 담긴 상식, 지식, 개념 정리 등은 그 나이에 갖기 어려운 수준의 방대한 것일 수 있습니다. 학습만화는 그 시기에 얻지 못했을 풍부한 상식을 쌓는 좋은 도구가 될 수 있으며, 자녀의 흥미 분야를 파악하는 수단이 될 수 있습니다.

물론 아이가 고른 만화책의 내용을 점검할 필요는 있습니다. 무수한 학습만화 중 유독 관심을 보이는 분야를 주의 깊게 관찰하여 그것을 '만화책을 그만 보는 일'에 활용해야 합니다. 만화책을 이용해 수월하게 읽기 독립에 성공했지만 아무리 기다려도 만화책만 보려는 아이 때문에 답답하다면 글책으로 자연스럽게 넘어가는 데도 만화책의 도움이 필요합니다. 만화책을 고를 때마다 아이가 유독 관심을 보이는 분야, 주제를 기억하고 있다가 그 주제와 일치하는 글책을 권하는 것으로 시작해주세요. 글책이다 보니 바로 흥미를 보이지는 않겠지만 잘 보일 만한 곳에 두고 시각적인 자극을 주세요. '만화책은 아니지만 내용이 재미있어 보이니까 한 번 읽어볼까?' 하는 마음이 들면 성공입니다.

고학년이 되어도 만화책만 읽으려는 아이들은 그것을 대체할 만한 더 재미있고 관심 가는 책을 이제껏 만나지 못했기 때문일 수 있습니다. 무조건 만화책은 안 된다고 하기 전에 더 재미있는 책을 제공하기 위해 고민해주세요.

독서 환경

집안에 언제나 텔레비전 소리가 들리고 아이의 스마트폰 사용이 자유롭다면 아이는 책을 읽을 이유가 없습니다. 책이 아니어도 충분히 재미있고 하고 싶은 일이 많거든요. 아이에게 방에 들어가 책을 읽으라 하고 부모가 거실에서 텔레비전을 보거나 스마트폰으로 게임을 하고 있다면 집중해서 책에 빠져들 아이는 없습니다. 집안 어디서나 자연스럽게 책을 집어 들 수 있고 가족이 함께 편안하고 조용하게 책을 읽는 분위기가 형성돼 있다면 책을 좋아하지 않던 아이도 서서히 책 읽기를 시작하게 됩니다.

그렇다고 텔레비전이나 유튜브 영상을 전혀 보지 말라는 것은 아니고, 그렇게 휴식을 취하는 시간을 갖되 아이가 책을 읽어야 하는 시간만큼은 책 읽는 분위기가 되도록 가족이 함께 노력하자는 뜻입니다. 처음에는 다소 불편하겠지만 습관이 잡히고 나면 잔소리하지 않아도 알아서 책을 읽는 아이로 성장하게 됩니다. 지금은 습관을 잡는 중요한 시기임을 꼭 기억해주세요.

그리고 책을 좋아하는 아이로 키우기 위해 드리고 싶은 또 하나의 제언은 책에 관한 아이의 취향을 충분히 존중해야 한다는 것입니다. 독서를 좋아하여 알아서 잘하고 있다면 조금 더 수준 높고 다양한 낯선 주제의 책을 시도하는 것이 유익하지만, 책 읽는 자체에 흥미가 없는 아이에게 수십 권짜리 전집과 학년 필독서를 들이미는 것은 오히려 책과 멀어지게 할 수 있습니다. 집에 책이 가득 쌓여 있어도 친구가 학교에 들고 온 흥미로운 주제의 단행본 한 권이 부러워 빌려 달라고 부탁하는 아이들을 교실에서 종종 볼 수 있었습니다.

고심해서 고른 내 취향과 수준에 딱 맞는 책 한 권을 읽고 나서 느끼는 성취감을 맛보아야만 시키지 않아도 책을 읽게 됩니다. 그래서 도서관, 서점에서 오랜 시간을 머물며 재미있어 보이는 책 한 권을 선택하는 경험이 필요한 것입니다. 어떤 종류의 책을 읽혀야 할지를 고민하기보다 책을 좋아하여 스스로 꺼내 읽는 아이가 되도록 관심을 기울여주세요.

독서록

책을 좋아하든 아니든 책의 내용, 느낌 등을 한 편의 글로 옮기는 일은 쉽지 않습니다. 독서는 좋아하지만 독서록 작성은 부담스러워하는 아이들이 많습니다. 학교에서는 초등 저학년을 중심으로 일주일에 두세 편의 독서록 과제가 제시되는데, 독서록 제출하기 전날 부랴부랴 급하게 써내는 아이들이 많은 것이 현실입니다. 억지로 대충 쓰는 독서록은 시간 낭비, 글씨 연습으로만 끝나지만, 그 기회를 잘만 활용하면 꾸준한 글쓰기 훈련, 독서습관 형성을 위한 유익한 과정이 될 수 있습니다. 어차피 써야 한다면 쉽고 재미있게 시도해볼 방법을 소개하겠습니다.

1) 책 속 문장 고르기

흔히 "책을 읽고 나서 너의 느낌을 적으면 돼."라고 하지만, 어디 그게 쉽나요. 어른도 하기 힘든 일을 이제 막 책 읽는 재미를 붙여가는 아이에게 강요하지 마세요. 책과 멀어지는 가장 빠른 길이랍니다.

일단 다 읽은 책과 독서록을 펼쳐놓고 책 속에 있는 문장 하나를 골라 그대로 옮겨 적게 해보세요. 그런 다음 왜 그 문장을 골랐는지, 그 문장이 어느 장면에서 등장했는지, 그 문장의 어떤 면이 재미있게 느껴지는지를 적게 합니다. 책 전체를 두고 내용을 정리, 설명하고 전체적인 느낌을 쓰는 일은 한숨이 나올 만큼 막막하지만, '이 부분 정말 재미있다!' 싶은 곳은 어느 책에서나 찾기 어렵지 않습니다. 별로 흥미를 갖지 못했던 책이라도 어느 한 곳쯤은 그래도 마음에 남기 마련이거든요.

독서록 분량이 정해져 있어서 양이 좀 많아야 할 때는 그다음으로 재미있었던 문장을 골라 같은 형식으로 반복하게 하세요. 어느새 공책 한 쪽이 훌쩍 채워지고, 독서록 쓰는 일이 생각보다 어렵지 않다는 걸 알게 되면서 자신감이 붙습니다.

2) 책 제목 다시 짓기

아이들이 책을 고르는 기준이자, 책의 인상을 결정하고 읽고 싶은 마음을 일으키게 하는 것이 바로 책의 '제목'입니다. 초등 저학년 아이들이 사랑하는 책 《엉덩이 탐정》은 제목만으로도 아이들의 마음을 빼앗기에 충분했습니다. 재미있게 잘 지어진 제목은 책에 있어 너무도 중요한 부분인데요. 제목을 다시 지어보는 것은 아이가 책의 내용, 의미, 주제를 잘 파악하고 있는지 확인할 수 있는 단서가 되면서 동시에 즐겁고 쉽게 독서록을 쓰는 방법이 됩니다.

방법은 간단합니다. 책을 읽고 난 아이에게 책의 제목을 다시 지을 수 있다면 어떤 제목으로 하고 싶은지 묻고, 아이가 지은 새로운 제목을 독서록에 쓰게 하면 됩니다. 이어서 왜 그 제목을 선택했는지 이유를 적는 일은 어렵지 않을 거고요. 이유가 짧게 끝나버렸다면 몇 가지의 제목을 더 생각해 '제목-이유' 순으로 분량을 채우면 됩니다. 사고력, 글쓰기 훈련이 늘어갈수록 제목의 개수는 줄어들면서 이유에 관한 서술이 자연스레 늘어갈 거예요. 그때까지 여유롭게 기다려주세요.

3) 어휘 사전 만들고 짧은 글짓기

흔히 독서록이라고 하면 책 속 줄거리 정리하기, 책을 읽은 느낌 적기만을 생각합니다. 그러나 책을 통해 새롭게 알게 된 사실이나 어휘도 독서록을 작성하는 좋은 소재가 될 수 있습니다. 책 전체의 줄거리를 간추리기 힘들어하거나 자신의 느낌, 생각 등을 정리하기 부담스러워하는 아이라면 차라리 독서록을 어휘를 늘리고 정리하는 과정으로 활용하는 것도 좋은 방법입니다. 책을 읽는 중에 만난 생소한 어휘, 들어본 적은 있으나 정확한 의미를 말하기 어려운 어휘를 사전에서 찾아 독서록에 하나씩 그 뜻을 옮겨 쓰는 것이 기본입니다. 종이로 된 표준 국어사전을 활용하는 것이 가장 좋지만, 아직 사전 찾는 법에 익숙지 않다면 네이버, 다음 등 포털의 사전 앱을 활용하는 것도 괜찮습니다.

단어의 의미 알아보기가 끝났다면 그 단어를 활용한 짧은 문장을 만들어보게 하세요. 낯설어한다면 부모가 먼저 문장을 하나 만들어주고, 그 문장을 그대로 받아 적게 한 후 비슷한 문장을 만들어 아랫줄에 적게 하는 거예요. 쉽고 재미있으면서도 아이의 생활과 밀착된 예시 문장이 좋습니다. 분량에 맞추어 어휘를 몇 개 더 찾고 문장을 만듭니다. 어느 정도 연습이 되면 알아서 어휘의 뜻 찾기, 짧은 글짓기가 착착 진행됩니다.

이처럼 크게 힘들지 않고도 독서록이 성큼 채워진 것을 확인한 아이는 '쉽다, 할 만하다, 재미있다, 내일 또 해야겠다'고 생각하고 독서록 쓰기를 전처럼 힘들어하지 않겠죠?

간혹 담임 교사가 주제 간추리기, 나의 느낌 적기 같은 기존 독서록의 형태만을 제시한다면 상담 주간, 전화 상담 등을 통하여 "아이의 독해력, 글쓰기 훈련 등이 아직 부족하여 제시된 형식을 힘들어

합니다. 가정에서 이러이러한 방식으로 독서록 과제를 하도록 지도하고 싶습니다. 이해 부탁드리겠습니다."라는 메시지를 미리 전달하는 것이 사소한 오해를 막는 방법입니다. 이해 못 할 선생님은 없으실 거예요. 이렇게라도 성실하게 과제를 해오는 아이들을 예뻐하지 않을 수가 없답니다.

이렇게 천천히, 꾸준히 글쓰기 훈련으로 독해력, 사고력을 쌓아가다 보면 어느새 부모의 도움 없이도 독서록 분량을 수월하게 채워가는 아이를 만나게 될 거예요. 재미있고 쉬운 형식의 독서록을 경험한 아이들은 스스로 더 창의적이고 재미있는 방식을 계발, 시도하기도 한답니다. 이렇게 시작된 글쓰기 습관은 일기, 에세이, 논술 등 다양한 방면의 글쓰기 상황에서 빛을 발할 거예요.

이 밖에도 아이들이 쉽게 시도해볼 수 있는 독서록의 형태를 몇 가지 더 알려드릴게요. 인쇄하여 독서록 공책 맨 앞장에 붙여 놓고 오늘은 어떤 형식으로 할지 골라 써보라고 권해주면 알아서 신나게 써나갈 거예요.

재미있는 독서록 형식 예시

★ 책 속 주인공, 등장인물에게 편지쓰기.

★ 이 책을 광고하는 문구, 전단지 만들기.

★ 책의 주인공, 등장인물이 등장하는 신문기사, 광고, 예능 프로 만들기.

★ 책의 주인공, 등장인물에게 어울리는 선물 생각해보기. 선물을 그림으로 표현하기.
★ 등장인물의 이름, 성격, 외모, 성별, 직업, 취미 등의 특징 바꾸어보기.
★ 줄거리를 만화로 표현하기(4칸, 8칸 등).
★ 한 장면을 골라 그림으로 표현하고 고른 이유 적어보기.
★ 책의 내용을 퀴즈&정답 형식으로 구성하기.
★ 책의 뒤에 이어질 내용 상상하여 이어쓰기, 결말 바꾸어보기.
★ 이야기의 마지막 장면, 좋아하는 장면을 내 마음대로 바꾸어보기.
★ 책 속 등장인물에게 상장 만들어주기, 또는 벌칙 내리기.
★ 내가 주인공이라고 상상해서 이야기 만들어보기.

독서 리스트

독서를 통해 얻어진 성취감은 책에 대한 호감도를 높이고 국어뿐만 아니라 다른 과목의 공부에도 자신감을 선물합니다. 아이가 독서를 생각할 때 '그래도 이 정도면 열심히 읽었다' 정도의 만족감을 느끼는 것도 좋지만, 올해 몇 권의 책을 읽었는지를 기록으로 남겨 그 독서 기록을 보면서 느끼는 성취감은 그 무엇과도 비교할 수 없습니다. 학교에서 독서 카드를 관리하는 경우도 있지만, 그와는 별도로 아이만의 독서 기록 공간을 만들어 활용하는 법을 공유합니다.

1) 블로그, 카페 운영하기

블로그든 카페든 아이가 꾸준히 운영하기에 편리한 플랫폼을 선택합니다. 아이 본인 명의로 가입 가능하며 비공개로 운영할 수 있고, 원한다면 공개적으로 운영하면서 다른 사람들과 소통하는 기회로 삼는 것도 좋습니다. 컴퓨터를 사용하는 방법이기 때문에 기본적인 인터넷 브라우저 사용, 타자 연습이 가능한 1, 2학년부터 시작하는 것이 무난합니다.

그날 읽은 책의 제목이 게시글의 제목이 되도록 기본 틀을 만들고, 글을 작성하는 방법을 몇 번만 알려주면 아이는 이내 혼자 할 수 있습니다. 본문 내용을 독서록처럼 자세히 쓰라고 하면 부담스러워 흐지부지되기 쉽습니다. 제목은 책 제목으로 하고, 본문은 책 속 내용 중 가장 재미있었던 한 문장 정도로 5분이면 그날의 기록을 마칠 수 있는 간단한 세팅이 중요합니다. 게시글의 제목을 쓸 때 순서대로 번호를 매기면 숫자가 늘어나는 모습을 볼 수 있어 더욱 의욕적으로 진행할 수 있겠죠.

한글 독서 기록에 익숙해지면 영어 독서도 시도해볼 수 있습니다. 게시판의 메뉴는 얼마든지 늘릴 수 있고 사진, 영상 등의 자료도 첨부할 수 있으므로 블로그는 훌륭한 독서 포트폴리오가 됩니다.

2) 유튜브 채널에 독서 기록 영상 공유하기

아이의 독서 관련 영상을 유튜브 채널에 꾸준히 기록하는 것도 좋은 방법입니다. 요즘 초등생들이 영상과 유튜브에 열광하는 점을 걱정스럽게만 볼 것이 아니라 학습의 수단으로 활용하자는 겁니다. 책을 읽은 날짜와 제목을 말하는 짧은 영상 기록부터 시작하여 책에서 가장 흥미로웠던 점, 읽고 나서 느낀 점 등을 카메라에 담아 차곡차곡 유튜브 채널에 모아가는 것입니다. 아이가 원치 않거나 초상권, 악플 등이 걱정된다면 비공개 계정으로 운영해도 좋습니다. 평소 유튜브에 관심을 보였거나 부모님이 찍어주는 영상에 즐거이 반응했던 아이라면 이런 성향을 이용하여 더욱 즐겁게 독서 기록을 할 수 있습니다.

3) 1년 동안 읽은 책 종이에 적어보기

읽은 책의 날짜, 제목, 지은이 정도의 정보를 1년 동안 모아보는 방법이에요. 특별 부록으로 제공된 <초등 매일 공부 플래너>에 그 양식이 소개되어 있습니다. 지면이 부족하거나 별도의 독서기록을 원한다면 '올해의 책'이라는 제목을 붙인 공책을 마련해주세요. 1년간 읽은 모든 책을 한눈에 보면서 성취감을 느낄 수 있는 시각적으로 훌륭한 장치입니다. 목표한 권수에 다다랐을 때 적절한 보상을 더 한다면 더 신바람 나게 책을 읽게 될 거예요.

듣는 독서

아이들은 영유아기에 부모님이 읽어주었던 그림책으로 이미 충분히 듣는 독서를 경험했습니다. 읽기 독립을 하고 나서도 부모가 매일 책을 읽어주기는 어려운 게 현실인데요, 대안이 될 만한 훌륭한 서비스가 있습니다. 다양한 오디오 서비스가 제공되는 전용 애플리케이션을 이용하면 간편하면서도 다양한 '듣는 독서'가 가능합니다.

영상물에 익숙한 요즘 아이들에게 청각에만 의존하는 오디오 서비스는 자칫 지루하게 느껴질 수 있지만, 적절하게 이용하면 유용한 형태의 듣는 독서를 경험을 할 수 있습니다. 듣는 독서는 아이의 집중력을 높여주고 부모가 매번 책을 읽어주는 수고를 덜 수 있어 일석이조의 효과가 있습니다. 라디오를 듣는 것처럼 잠자리에서 하나씩 들려주세요. 또, 듣는 독서는 장거리 여행 중에 스마트폰 게임의 훌륭한 대안이 될 수 있습니다. 책을 낭독해주는 오디오 파일이 업로드 되어 있는 애플리케이션과 채널을 소개합니다.

팟빵	네이버 오디오 클립
- 1013을 위한 책 읽기 - 명로진 권진영의 고전 읽기 - 세계전래동화 - 이야기로 듣는 한국사	- 감자공주의 동화나라 - 한솔교육 호기심동화 - 맘미루의 인성동화

초등 독서 영역

영역	학년	필수	선택 (가정)	선택 (사교육)
듣는 독서	전 학년	책 읽어주기	네이버 오디오 클립 팟빵	
동화책	전 학년	혼자 읽기	낭독하기 초등 필독도서	독서논술 수업 독서 학습지
만화책	전 학년		학습만화 읽기	
학습 전집	전 학년		사회, 과학, 역사, 지리 등 교과 연계 독서	전집 연계 학습지
고전 문학	4학년 이상	혼자 읽기		독서논술 수업
역사 독서	전 학년		만화책, 그림책 위주로 시작	역사논술 수업
독서 기록	전 학년	독서록	독서 포트폴리오 교육청 독서 시스템 활용하기	

03

[수학] 하루 한 쪽이면 충분합니다

교과서 | 단원평가 | 심화 문제집 | 연산 | 선행 | 사고력 수학

초등 수학이 갈수록 세분화되면서 다양한 사교육으로 확장되고 있습니다. 수학 공부의 방향을 잡는 일이 영어만큼이나 고민이 됩니다. 초등 저학년의 사교육이 주로 영어 위주였다면, 고학년으로 갈수록 공부량, 학원, 학습지에서 수학의 비중이 높아지고 있습니다.

이과형의 수학 머리를 타고난 아이 중에는 수학이 가장 재미있다는 아이들도 간혹 있지만, 그 수는 많지 않습니다. 조금만 응용된 문제를 만나면 문제를 읽는 것부터 부담스러워하고 지레 겁먹는 아이들이 허다합니다. 단순한 연산 위주의 만만한 공부만 하다가 수학이 본격적으로 어렵다고 느끼는 3, 4학년이 되면 수학을 포기했다는 말을 대수롭지 않게 합니다.

열 살 남짓한 아이들이 벌써 수학을 포기했다고 말한다면 이거 문제 있는 거 아닌가요? 마음으로는 이미 포기했는데 얘기하면 혼날까 봐 집에서는 내색을 안 한답니다. 어렵고 싫은데 솔직하게 말할 수 없는 현실, 이것도 만만찮은 문제입니다.

수학을 포기하지 않기 위한 최고이자 최선의 방법은 복습입니다. 교실의 수학 수업 형식은 비슷한 패턴이 있는데요, 수학책에 나온 새로운 개념을 알아보고 개념 설명 아래에 제시된 기본적인 몇 개의 문제를 풀고 나서 <수학익힘책>에 나와 있는 문제들로 개념을 제대로 이해하고 활용할 수 있는지를 확인하는 형태입니다.

이 패턴이 6년간 반복되기 때문에 개념 설명을 마칠 때쯤 되면 알아서 <수학익힘책>을 꺼내 푸는 아이들이 종종 눈에 띕니다. 그 순간 어김없이 등장하는 억울한 외침, "선생님, 재가 익힘책 먼저 풀어요."도 빠지지 않고 들려오고요. 교과서를 기본으로 한 교과과정 복습부터 교과과정 심화, 연산, 선행, 사고력 수학까지, 수학은 어떻게 큰 그림을 그려야 할지 하나씩 생각해보겠습니다.

초등 수학 영역

수업	복습	심화/선행 학습
평가	교과서 복습 문제집 연산	교과 심화 문제집 사고력 수학

초등 수학 교육과정

학년	1학기	2학기
1	1. 9까지의 수	1. 100까지의 수
	2. 여러 가지 모양	2. 덧셈과 뺄셈(1)
	3. 덧셈과 뺄셈	3. 여러 가지 모양
	4. 비교하기	4. 덧셈과 뺄셈(2)
	5. 50까지의 수	5. 시계 보기와 규칙 찾기
		6. 덧셈과 뺄셈(3)
2	1. 세 자리 수	1. 네 자리 수
	2. 여러 가지 도형	2. 곱셈 구구
	3. 덧셈과 뺄셈	3. 길이 재기
	4. 길이 재기	4. 시각과 시간
	5. 분류하기	5. 표와 그래프
	6. 곱셈	6. 규칙 찾기

학년	1학기	2학기
3	1. 덧셈과 뺄셈	1. 곱셈
	2. 평면도형	2. 나눗셈
	3. 나눗셈	3. 원
	4. 곱셈	4. 분수
	5. 길이와 시간	5. 들이와 무게
	6. 분수와 소수	6. 자료의 정리
4	1. 큰 수	1. 분수의 덧셈과 뺄셈
	2. 각도	2. 삼각형
	3. 곱셈과 나눗셈	3. 소수의 덧셈과 뺄셈
	4. 평면도형의 이동	4. 사각형
	5. 막대 그래프	5. 꺾은선 그래프
	6. 규칙 찾기	6. 다각형
5	1. 자연수의 혼합계산	1. 수의 범위와 어림하기
	2. 약수와 배수	2. 분수의 곱셈
	3. 규칙과 대응	3. 합동과 대칭
	4. 약분과 통분	4. 소수의 곱셈
	5. 분수의 덧셈과 뺄셈	5. 직육면체
	6. 다각형의 둘레와 넓이	6. 평균과 가능성
6	1. 분수의 나눗셈	1. 분수의 나눗셈
	2. 각기둥과 각뿔	2. 소수의 나눗셈
	3. 소수의 나눗셈	3. 공간과 입체
	4. 비와 비율	4. 비례식과 비례배분
	5. 여러 가지 그래프	5. 원의 넓이
	6. 직육면체의 부피와 겉넓이	6. 원기둥, 원뿔, 구

※출처: 2015 개정교육과정 의거 수학과 전 학년 단원별 목차, 2019년 기준

교과서

아이가 수학 수업을 잘 따라가고 있는지 확인하려면 오늘 배운 차시에 해당하는 <수학익힘책> 문제를 풀어보게 하면 됩니다. <수학책>은 개념서고, <수학익힘책>은 그 개념을 응용한 문제를 담은 기본 문제집이라고 생각하면 쉽습니다. 개념을 제대로 이해하고 있는지, 그에 따라 무리 없이 잘 풀어내는지, 개념은 바르게 이해하고 있지만 연산에서 실수하는 편인지 등을 익힘책으로 모두 확인할 수 있습니다.

개념이 복잡한 편이거나 이제껏 나오지 않았던 개념을 처음 다루는 시간에는 개념 설명, 확인이 길어지다 보니 익힘책을 풀 시간이 부족해 숙제로 제시됩니다. 물론 익힘책을 활용하는 방식은 학급별로 소소한 차이가 있으나 크게 영향을 받을 정도는 아닙니다. 학교 수업과는 별도로 꾸준하고 적절하게 가정에서 활용할 만한 가장 좋은 교재는 바로 <수학익힘책>이라는 것을 기억하세요.

수학 수업이 있었던 날에는 <수학익힘책>으로 복습하는 것이 기본입니다. 오늘 학교에서 배운 차시에 해당하는 익힘책의 페이지를 집에서 잠시 풀어보게 하는 거죠. 대부분 두 쪽 정도 분량이고 기본적인 문제이기 때문에 오래 걸리지 않습니다. 이 과정에서 틀린 문제를 발견하면 개념을 이해하지 못한 탓인지, 연산 실수인지를 확인하여 약한 부분을 보충해가면 됩니다.

매끄럽게 척척 못 푸는 문제는 깨끗하게 지우고 다시 생각해볼 기회를 주세요. 이것도 못 푸느냐고, 수업 시간에 설명 안 듣고 뭐 했느냐고, 정신 똑바로 안 차리느냐고 호통친다고 해서 안 되는 문제가 갑자기 풀리지 않습니다. 할 수 있을 거라고 격려하고 응원하고 살짝씩 힌트 주면서 천천히 가는 겁니다. 그래야 4학년 때 수포자 명단에 이름을 안 올립니다.

틀린 문제는 다시 짚어 풀어보고, 결국 해결한 문제들에는 잘했다고 동그라미 팍팍 날려주세요. 그렇게 매일 꾸준히 하다 보면 자연스럽게 실력이 늡니다. 학습 훈련이 어느 정도 된 의욕 충만한 3, 4학년 정도라면 오답노트를 시도해보는 것도 좋습니다. 아이가 원하면 하되, 저학년에게는 강요하지 마세요. 수학을 싫어하게 되는 지름길이면서 전체 공부 시간을 지나치게 많이 잡아먹는 짐이 될 수 있어요.

이렇게 매일 익힘책으로 복습하다가 막힘없이 척척 잘 풀고 시간 여유 있다면, 아이가 흔쾌히 하고 싶어한다면 심화, 사고력, 선행의 세계로 한 발짝씩 들어가면 됩니다.

단원평가

수학을 잘하려면 책을 많이 읽히라는 이야기, 들어보셨을 거예요. 수학 시험의 최근 동향을 정확하게 파악한 직언이니 명심해야 합니다. 수학 시험이 달라지고 있습니다. 아무리 계산이 빠르고 정확한 아이라도 문제를 이해하지 못하면 식을 세우지 못해 답을 찾을 수 없는 형태의 평가가 확대되고 있습니다. 달리 말하면 길고 복잡해 보이는 문제를 읽고 문제에서 요구하는 것이 무엇인지 올바른 결론을 내리는 것이 수학을 잘하는 관건이 되었다는 뜻입니다. 글을 읽고 글에 담긴 의미를 파악하는 것이 주요 목적인 독서가 왜 수학을 잘하는 필수조건인지 이해되시죠? 따라서 꾸준한 독서를 통해 독해력이 바탕이 된 상태에서 문제를 푸는 요령을 더해가는 것이 최선의 방법입니다.

지역에 따라 차이가 있지만, 수학 단원평가 수준은 <수학익힘책>에 제시된 문항 수준을 크게 벗어나지 않습니다. '수업 중에 다룬 개념을 제대로 이해하고 있는가'를 평가하기 때문입니다. 그래서 평가 준비 역시 교과서인 <수학익힘책>이 기본입니다. 익힘책의 문제를 다 풀 수 있다면 큰 무리 없이 풀 수 있는 문제들입니다. 그중 일부는 기본 개념을 응용한 서술형 문항이지만, 역시 익힘책에서 다루었던 응용문제에 비해 크게 어렵게 출제되지 않습니다.

많은 양의 문제집을 푸는 것보다, 창의 사고력을 요구하는 까다로운 문제집을 푸는 것보다 점수를 잘 받는 확실한 방법은 연산 실수를 줄이는 것입니다. 쉬운 문제라며 후다닥 풀어버리고 점검하지 않은 평가지마다 어처구니없는 연산 실수가 발견되고, 그 때문에 아깝게 백 점을 놓친 똘똘이들이 억울한 탄식을 터트립니다. 그래서 평소의 연산 훈련이 중요하고, 다 푼 시험지를 처음부터 꼼꼼하게 점검하는 습관이 필요합니다. '다 아는 건데 아깝게 틀렸으니 백 점이나 다름없다'며 우기는 아이가 있다면 그 한 문제가 의미하는 많은 것에 대해 짚어보는 기회를 가져보면 좋겠습니다. 수업을 열심히 들었고, 복습도 성실히 했고, 문제집까지 반복해서 풀었지만 생각만큼 나오지 않는 점수에 애가 탄다면 연산 실수를 줄이는 일에 최대한 신경 써야 합니다.

심화 문제집

이렇게 기본 복습을 무사히 했더라도, 부모의 마음에는 여전히 '조금 더 어렵게 응용된 심화 문제'에 대한 부담이 있을 거예요. 쉽게 말해 '조금 더 어려운 수준의 문제집을 풀게 해야 하는 것 아닌가' 하는 고민입니다. 이 경우 지금 공부하는 양에서 수학 심화 문제집이 추가됨으로써 독서 할 시간이 부족해지거나 뛰어놀 수 있는 여유가 없다면 심화 문제집을 추가하는 것은 독이 됩니다. 큰 의미 없는 에너지, 시간 낭비일 뿐이에요.

또한, 교과서 복습을 통한 기본 개념 이해가 되어 있지 않은 상태에서의 심화는 아이에게 어떤 긍정적인 도움도 되지 않습니다. 그저 이 수업을 추가하기 위해 얼마나 많은 돈을 들였는지 계산하다가 부모의 혈압만 오릅니다.

아이가 조금 더 높은 수준의 목표에 도전하여 성취하길 원하는 경우, 수학 과목에 흥미와 소질을 보이는 경우, 쉽게 말해 단원평가에서 기복 없이 만점에 가까운 점수를 받고 있으며 수학을 더 깊이 배우고 문제 푸는 일에 거부감이 없는 아이라면 심화 과정이 분명히 유익합니다. 이 과정은 <수학익힘책>으로 해결되지 않기 때문에 학년에 맞게 나온 시중의 복습 문제집 중 '심화'라고 표시된 것을 활용하면 됩니다.

당부하고 싶은 것은 심화 과정을 위해 너무 많은 시간을 쓰지 말았으면 하는 것입니다. 하루 한 쪽, 혹은 20분 정도면 충분합니다. 응용되어 까다로운 문제인 만큼 한 문제를 푸는 데 많은 시간이 걸리기 마련입니다. 그 점을 고려하여 매일 세 문제, 혹은 시간 단위로 분량을 정해놓고 진행하는 것이 효과적입니다. 흥미를 보여 자발적으로 더 하겠다고 한다면 말리지 않고 팍팍 밀어줘야 하겠지만 말입니다.

연산

쉬운 연산에도 자꾸 실수하거나 연산 문제집을 보기만 해도 지겨워하거나, 대충 풀어서 엉망인 점수를 보고도 당당한 아이의 모습을 보면 연산 공부를 어떻게 시켜야 할지 막막합니다. 거기다 주변에서 연산이 아니라 사고력, 심화, 선행을 할 때라고 부추기는 소리가 들려오면 더 혼란스럽습니다. 초등 시절에 꼭 연산을 시켜야 하는 건지, 시킨다면 얼마나 자주 어느 정도로 시켜야 하는 건지 궁금해집니다. 학원에 다니며 학원 숙제, 학교 숙제를 하면서 연산까지 챙겨서 하는 건 쉬운 일이 아닙니다. 그렇다 보니 당장 급한 숙제를 하느라 정말 중요한 연산을 빼먹는 경우를 자주 봅니다.

연산, 그렇게 중요한가요? 네, 그렇습니다. 타고난 수학 머리가 뛰어나고 선행학습이 잘 되어 있는 아이들도 정작 중요한 평가에서 사소한 연산 실수로 원하는 점수를 받지 못하는 경우를 자주 봅니다. 충분히 다 맞을 수 있는 초등 단원평가에서 한두 문제씩 실수하는 아이들은 정말 많고요.

학년이 올라갈수록 내용은 깊어지고 복합적인 사고력을 요구하는 문제를 만나게 될 텐데요, 느린 연산 속도에 발목이 잡혀 시간에 쫓기지 않기 위해서는 초등 시기의 연산 훈련이 매우 중요합니다. 연산의 정확도와 속도는 결코 단숨에 완성되지 않습니다. 연산은 초등 1학년 혹은 7세부터 시작하여 적어도 초등 시절 6년간, 여유가 있다면 중학교 때까지도 꾸준히 매일 유지해야 하는 중요한 학습입니다. 이렇게 중요한 연산을 이왕이면 재미있게, 꾸준히, 매일 하는 방법을 함께 고민해보겠습니다.

1) 매일 아주 조금씩만 하세요.

"뭐야, 이것만 하고 끝이야?"

아이가 아쉬움을 느낄 만큼 아주 조금씩만 하세요. 꾸준히 하다 보면 자연스레 속도가 붙기 때문에 매일의 양은 당연히 늘어나니 조바심 느낄 필요 없습니다.

엄마가 갑자기 야심 차게 문제집을 들이밀며 매일 다섯 장씩 풀라고 하면 좋아할 아이가 없지요. 아이가 직접 고른 문제집으로 매일 한 쪽씩만 시작하세요. 연산 문제집은 특별히 훌륭한 것도, 크게 처지는 것도 없이 비슷합니다. '나눗셈', '소수' 등의 주제만 선정해주고 어느 출판사의 어느 문제집으로 선택할지는 아이에게 맡겨도 좋습니다. 자기가 직접 고른 것에 더 애정을 보이는 것은 어른이나 아이나 같거든요. 한 쪽에 많아야 30개 정도의 같은 유형의 문제가 숫자만 바뀌어 반복되기 때문에 처음 한두 문제에서 주저하던 아이들도 며칠이 지나면 곧 속도를 내고 자신감을 가질 수밖에 없습니다. '연산 공부, 뭐 별거 아니네. 할 만하네'라는 느낌을 받게 했다면 조짐이 좋습니다.

잘 따라오는 것 같아서, 혹은 너무 적게 하는 거 아닌가 싶어 다음 날 바로 두 쪽으로 분량을 올려버리고 싶겠지만 참아야 합니다. 아이가 직접 "엄마, 저 한 장 더 풀고 싶어요."라고 말할 때까지 꾹 참으세요. 아무리 기다려도 그런 말을 하지 않을 때는 아이가 한 쪽의 문제를 한 번의 실수 없이 잘 풀어내는 날이 일주일 이상 이어지면 한 쪽 정도만 더 늘립니다. 아무리 아이가 좋아해도 그 이상 풀 필요는 없습니다.

연산에 너무 많은 시간과 에너지를 쏟을 필요는 없습니다. 아시겠지만 연산이 아니어도 해야 할 것들, 하고 싶은 것들은 많고 뛰어놀고 책에 빠질 시간은 늘 부족하거든요. 매일의 공부는 필요한 과목들을 조금씩 꾸준히 하면서 쌓인 습관의 힘으로 비로소 빛을 보게 됩니다. 따라서 많은 양을 하다가 얼마 못 가 그만둔다면 큰 의미가 없습니다.

2) 정확도를 먼저 잡으세요.

연산 문제집, 학습지 중에는 페이지마다 시간을 측정하여 얼마나 빨리 풀었는지를 기록하는 공간이 있는 경우가 있습니다. 연산 훈련의 관건은 정확도와 속도이기 때문에 두 가지를 모두 잡으려는 의도로 보입니다. 하지만 시간 기록란을 활용하겠다는 욕심에 속도의 함정에 빠지지 않게 조심해야 합니다. 정확도가 갖춰지지 않은 상태에서의 속도는 아무 의미가 없거든요. 정확도가 완전히 보장된 이후에 비로소 속도가 중요해지고, 그것을 위해 꾸준한 매일의 훈련이 필요한 것입니다.

간혹 페이지마다 한두 문제씩 틀리는데도 빨리 풀었다며 자랑스러워하는 아이들이 있는데, 그런 습관은 학교 시험에서 쉬운 연산 문제를 아깝게 틀리는 실수로 연결될 수 있답니다. 차분하게, 천천히 정확도를 먼저 잡고, 그 후에 속도에 도전하도록 해주세요. '매일 두 쪽 다 맞기'라는 미션을 주고 연속으로 며칠간 미션을 달성하면 보상을 주는 형식으로 공부가 아닌 게임처럼 느끼게 해주면 좋습니다. 매일매일의 작은 성취만큼이나 목표한 일정 기간의 연속된 성공 경험은 성장하는 아이에게 큰 의미가 있습니다.

30일 이상 연속 백 점 맞기에 도전하여 달성했다면 정확도는 어느 정도 훈련되었다고 보고 본격적으로 속도를 올리는 연습을 해보세요. 스톱워치를 이용해 스스로 시간을 재고 기록하는 재미를 느끼며 본인이 만든 기록을 깨기 위해 도전하게 될 거예요. 공부를 게임처럼 느끼며 스스로 움직이게 하는 것이 연산 훈련의 핵심입니다. 정확도와 마찬가지로 목표로 잡은 시간 안에 성공해내기를 미션으로 삼아 도전해보는 것도 의욕을 불러일으키는 좋은 방법입니다.

3) 직접 채점하게 하세요.

연산은 정답이 단순하여 저학년 아이들도 직접 채점하는 데 전혀 무리가 없습니다. 매일 정해진 일정 분량을 풀고 나면 바로 채점하는 것까지가 한 세트의 공부라고 느껴지도록 바로 채점하고 오답을 스스로 점검하는 습관을 들여주세요. 점수를 그래프나 스티커 형식으로 시각화하여 기록하고 매일 백 점에 도전해보는 것도 즐거운 게임이 될 수 있습니다. 형제자매가 있다면 서로 교환하여 채점하는 것도 좋고요. 친구가 놀러 왔을 때 각자 푼 것을 바꾸어 채점해보는 것도 재미있다고 느낀답니다. 때로 흥미를 잃고 지겨워질 때가 오는데, 이때는 계산기를 이용해 채점해보는 것도 마치 스마트폰 게임을 하는 것처럼 즐겁게 느낄 수 있으니 한 번씩 이용해보세요.

채점할 때는 돌려 까는 빨간 색연필을 사용하시죠? 이 빨간 색연필을 사용할 때 주의할 점이 있습니다. 틀린 문항은 다시 한 번 공부해야 하는 중요한 내용이라는 마음으로 사선이 아닌 별표로 표시해주세요. 한쪽 전체가 다 맞았을 때는 아낌없이 큰 전체 동그라미를 팍팍 날려주는 것도 아이들이 기분 좋게 공부하도록 돕는 일이랍니다. 다시 풀어서 정답에 도달한 문항은 별표를 감싸는 예쁜 동그라미를 해주는 거 잊지 마세요.

다른 과목에 비해 수학을 싫어하고 수에 약했던 아이라도 꾸준히 두 쪽씩 풀며 성취감을 느끼기 시작하면 수학도 할 만하다고 생각하고 더 하고 싶은 과목이라는 자신감이 붙습니다. 그런 순간이 올 때까지 옆에서 응원, 칭찬, 격려, 환호를 아낌없이 보내주세요.

선행

초등 시절의 수학 선행에 대해서는 의견이 분분해서 갈피를 잡기 어렵습니다. 지역마다 동네마다 교육열에 따른 차이가 심하다 보니 어느 지역에서는 당연한 것이 어느 지역에서는 유별나고 과하게 평가받는 것이 아이 교육입니다. 수학 선행, 쓸데없는 헛수고일까요, 명문대로 가는 필수 코스일까요?

정답은 없지만 함께 고민해보면 힌트를 얻을 수 있지 않을까 싶습니다. 이 책을 통해 드리는 말씀들에 공통적으로 반복되는 진리가 있다면 '아이는 모두 다르다'는 것입니다. 그러므로 어떤 아이에게는 독이 되는 선행학습이 어떤 아이에게는 자신감, 성취감을 주는 최고의 공부가 되기도 합니다.

복습만으로도 힘들고 수업 시간에 새롭게 나오는 개념을 이해하는 것도 벅찬 아이에게 선행은 아무런 의미가 없겠지요. 반면 스스로 해보고자 하는 의지가 있고 성적, 장래희망에 관한 목표가 뚜렷하여 의욕적으로 공부하고 있는 아이에게는 스스로 진도를 조절하는 긍정적인 도전 기회가 됩니다. 그래서 모든 과목을 결정하는 가장 쉬운 방법은 내 아이를 파악하는 것부터 시작됩니다. 다들 하니까 하는 게 아니라 내 아이에게 필요하면 하는 겁니다. 아무리 선행을 두고 비판적인 시선이 많아도 내 아이에게 유익한 상황이라면 소신 있게 시작하고, 너도나도 하고 있지만 내 아이에게 벅차다면 욕심내지 말아야 합니다. 그리고 하기로 했다면 그 시기와 방법을 고민해봐야 합니다.

교육열이 뜨거운 학군에서는 초등 입학과 동시에 선행을 진행할 정도로 그 시기가 경쟁적으로 빨라지고 있어 이를 둘러싼 엄마들의 고민이 더욱 깊습니다. 개인적인 의견을 드리자면 초등 4학년 이상은 되어야 선행의 효과를 제대로 얻을 수 있다고 생각합니다. 새로운 개념을 받아들이고 그 개념을 활용한 문제를 푸는 일은 학습이라는 경험과 훈련이 어느 정도 뒷받침되었을 때 빛을 봅니다. 쉽게 말해, 공부를 좀 해봐야 더 어려운 공부를 해도 속도가 난다는 것입니다.

아직 운동신경이 덜 발달한 일곱 살 아이가 스키를 배우는 속도와 이런저런 운동을 경험하면서 몸을 자유자재로 쓸 줄 아는 6학년 아이가 스키를 배우는 속도는 확연히 다릅니다. 일곱 살 아이가 일주일 걸려 익힌 코스를 6학년 아이가 반나절이면 끝내버리는 것과 비슷하다고 생각하면 이해가 쉬울 거예요.

수학을 선행할 때는 학원의 도움을 받는 것이 일반적이지만, 집에서 살짝 시도해보려 할 때는 시중에 나와 있는 다음 학기, 다음 학년 문제집을 활용하세요. 선행용 문제집이 따로 있는 건 아니므로 아이가 현재 4학년 2학기라면 5학년 1, 2학기 문제집을 활용해 진도를 나가는 방식입니다. 혼자 개념을 익혀야 하므로 설명이 보다 자세하면서도 연습 문제까지 한 권으로 해결할 수 있는 문제집이 교과서보다 편리합니다. 집에서 문제집을 활용해 선행을 몇 달간 시도해보다가 곧잘 해내는 모습을 보이고 계속하기 원한다면, 그때 개별 진도가 가능한 학원을 알아보는 것을 추천합니다.

사고력 수학

사고력 수학은 정확히 분류하자면 공교육인 현행 초등교육 과정 안에는 존재하지 않는 개념입니다. 교육적인 용어로서의 공식 개념은 정의되어 있지 않지만, 과목의 이름을 듣는 순간 어떤 형식인지, 무엇을 공부하는 것인지 대략 짐작될 거예요.

어느 때부터인가 이 과목은 문제집을 만드는 출판사, 관련 과정을 개설한 수학 학원을 중심으로 연산과 같은 필수과정으로 인식되고 있습니다. 안 그래도 할 것 많은 대한민국 초등학생 입장에서는 신경 써야 할 과목이 하나 더 늘어난 것이지요.

제시된 수식만으로 해결할 수 있는 연산 문제, 한두 줄짜리 문제를 읽고 바로 풀어낼 수 있는 <수학익힘책>의 개념 확인용 문제가 아니라 그 이상의 응용력, 사고력, 창의력을 요구하는 문제들을 공부하는 영역이라고 생각하면 쉽습니다.

심화 과정과 겹치기도 하고 비슷한 개념이지만 색다른 방식으로 접근을 유도하기도 합니다. 예전 우리 공부할 때로 치면 '경시대회 수준'의 복잡하게 응용된 문제와 유사한데, 다행히 요즘은 그보다 조금 더 쉽고 재미있게 접근하는 추세입니다. 또 하나 다른 점이 있다면 그 시절에는 수학에 정말 뛰어난 한둘의 아이들이 조용히 경시대회에 출전하고 상을 받아왔다면, 이제는 초등 부모라면 누구나 들어봤을 만한 보편적인 과목이 되었다는 거지요.

초등학교 입학 후, 자녀가 똘똘하고 두뇌 회전이 잘 되는 학생이라는 담임 선생님의 평가를 받으면 부모는 마음이 들썩입니다. 학교 공부만 잘 따라가면 그만이지 하다가도 하나둘 창의력 수학, 사고력 수학이라는 이름의 사교육을 시작하는 주변 친구들의 얘기를 들으면 마음이 조급해집니다. 정확히 어떤 과목이고 무얼 배우는 것이며 왜 배워야 하는지 모르지만, 왠지 똘똘한 우리 아이도 한 번쯤은 해봐야 할 것 같아 덜컥 학원에 등록합니다. 지루한 연산만 풀다가 재미있어 보이는 문제를 보면 아이는 쉽게 마음을 엽니다. 비싼 학원비에 걸맞게 소수 그룹으로 진행되는 수업인데다, 수학 교과서의 문제들과는 확연히 달라 보이는 새로운 형태의 교재가 부모의 마음을 대번에 사로잡습니다.

사고력 학원을 보내기로 했다면 유심히 봐야 할 부분은 정말 창의적인 사고력을 키워주는 수업인가, 사고력을 빙자한 선행학습인가입니다. 재미있는 수학을 경험하게 해주고 싶어서 보낸 학원에서 진도에 시달리다가 수학에 질려버리는 아이도 많다는 것을 기억해주세요. 사고력 수학도 여타의 사교육들처럼 엄마표로 가능합니다. 시중에 사고력 수학, 창의력 수학 등을 표방하는 다양한 종류의 문제집들이 출시되어 있어 누구나 부담 없이 경험할 기회가 있습니다.

시간적, 경제적 여유가 충분하다면 아이의 창의력과 사고력을 자극하는 참신한 문제를 경험하도록 돕는 것은 좋은 시도가 될 수 있습니다. 하지만 문제는 여유가 없음에도 진행하느라 무리하고 이렇다 할 효과를 보지 못한 채 흐지부지되는 경우가 많다는 것입니다. 사고력 수학의 목적은 생각하는 힘을 키우는 것이지 당장의 수학 점수를 높이거나 선행을 위함이 아닙니다. 그래서 큰 기대를 안고 시작하지만 꾸준히 유지해서 효과를 얻기보다는 '괜히 시켰나' 싶은 불편한 마음을 들게 하는 것이 바로 사고력 수학이라는 점, 미리 알고 결정하셨으면 좋겠습니다.

초등 수학 영역

영역	학년	필수	선택 (가정)	선택 (사교육)
복습	전학년	수학익힘책 풀기	복습 문제집(기본) 복습 문제집(심화)	수학 학습지 수학 보습학원
연산	전학년	매일 1쪽	연산 문제집	연산 학습지 연산 학원
선행	4학년 이상		다음 학기 문제집 (기본/심화)	수학 학습지 수학 선행 학원
사고력	전학년		사고력 수학 문제집	사고력 수학 학원 가베 수업
영재교육	전학년		창의 융합 사고력, 영재원 대비 문제집	영재교육 학원

★04★

[영어] 아이의 의지가 아니라 습관의 힘으로

교과서 | 듣기 | 말하기 | 읽기 | 쓰기 | 단어

.... 영어는 재미있게 접근해야 한다고 하지만, 영어권 국가 거주 경험이 없고 학원에서 영어를 배우는 대부분의 초등 아이에게 영어는 그저 숙제 많은 과목일 뿐입니다. 원어민 선생님과 개인 수업이 가능하고 때마다 해외 스쿨링을 경험하여 영어를 실제 활용할 수 있는 상황이라면 좋겠지만, 쉬운 일은 아니죠. 부담스러운 학원비와 학원을 거부하는 아이 때문에 집에서 어떻게 좀 해결해볼까 싶은데 자신이 없다면, 혹은 학원에 보내고 있지만 실력이 늘고 있는 건지 답답하다면, 어떻게 하면 좋을지 함께 고민

하고 풀어보겠습니다.

초등의 영어 공부를 계획할 때 반드시 기억해야 할 것이 있어요. 아이는 자신이 영어 잘하기를 한 번도 원한 적이 없다는 사실입니다. 왜 배워야 하는지, 안 하면 어떻게 되는지, 잘하면 뭐가 좋은지 아무것도 실감하지 못하는 아이를 붙잡고 글로벌시대와 4차 산업혁명을 설명하느라 피곤해지지 마세요. 엄마가 영어를 못해서 해외여행 갈 때마다 얼마나 불편한지 아느냐며 서글픈 표정으로 설득할 필요도 없습니다. 눈치채지 못할 만큼 아주 조금씩 시작하여 서서히 늘려가면서 밥을 먹고 화장실에 가는 것처럼 영어가 일상이 되도록 해보세요.

아이가 실감하고 깨닫는 사실은 '영어를 열심히 하면 아빠, 엄마의 폭풍칭찬을 받을 수 있고, 꾸준히 계속하면 상으로 무언가를 얻을 수 있다' 정도면 충분합니다. 좀 더 자라서 혹은 성인이 된 후 영어를 열심히 해봐야겠다는 결심이 설 때까지는 아이의 의지가 아닌 습관의 힘으로 가는 겁니다.

영어가 재미있어서 열심히 하는 아이도 있지만 그게 아닌 아이에게는 정교하게 계획된 보상이 필요합니다. 열심히 해서 실력을 올려야겠다는 내적 동기가 없는 아이에게는 눈에 보이는 보상이 가장 큰 외적 동기가 될 수 있습니다. 외적 동기를 활용해서 습관을 만드는 것이 매일 공부 습관의 핵심입니다. 하다 보니 할 만하고 습관이 되어 계속하는 거고, 그러다 보니 조금씩 실력이 늘어서 매일의 영어가 힘든 일이 아니게 되면 특별한 보상 없이도 꾸준히 진행되고 결국 실력은 늘 수밖에 없습니다. 그게 외국어의 중요한 특징이며, 우리가 할 수 있는 가장 현실적인 영어 공부법입니다.

아이가 학원, 학습지, 공부방, 방과후 학교 프로그램을 이용하고 있더라도 그것에만 의지하지 말고 집에서 습관처럼 영어 공부를 병행해야 합니다. 언어이기 때문에 매일 노출되는 것이 가장 확실한 성장 방법이거든요. 영역별 공부 습관 만들기를 꼼꼼히 확인하면서 우리 아이의 지금 상황에서 가장 적절한 방법, 시간, 횟수, 양을 고민해보세요.

학원에서 주로 하는 영역이 말하기라면 집에서 다른 영역을 보충하고, 학원에서 아직 쓰기를 시작하지 않았다면 집에서 먼저 시작해도 괜찮습니다. 아이가 학원에서 보내는 시간 동안 어떤 영역을 어느 정도 공부하고 있는지를 부모가 알아야 하는 이유입니다. 알고 보내야 원장님과 상담할 때 정말 필요한 질문을 할 수 있습니다. 보내기만 하고 돌아서 버리면, 아이는 가방 들고 왔다갔다 하느라 머리에 남는 건 없고 시간은 늘 부족해 제대로 놀지도 쉬지도 못하는 초등 시절을 보내게 되겠지요.

초등 영어 영역

수업	듣기	말하기	읽기	쓰기	단어
교과서 평가	흘려듣기 집중듣기	회화	영어 독서	일기	단어 암기

초등 영어 교육과정 (대교)

학년	1학기	2학기
3	1. Hello, I'm Jinu	7. I Have a Pencil
	2. What's This?	8. I'm Ten Years Old
	3. Stand Up, Please	9. What Color Is It?
	4. It's Big	10. Can You Skate?
	5. How Many Carrots?	11. It's Snowing
	6. I Like Chicken	
4	1. How Are You?	7. Let's Play Soccer
	2. This Is My Sister	8. It's on the Desk
	3. What Time Is It?	9. Line Up, Please
	4. He Is a Firefighter	10. How Much Is It?
	5. Is This Your Bag?	11. What Are You Doing?
	6. What Day Is It?	

5	1. Where Are You From?	7. What Did you Do During Your Vacation?
	2. Whose Drone Is This?	8. She Has Long Curly Hair
	3. Please Try Some	9. Is Emily There?
	4. What's Your Favorite Subject?	10. Where Is the Market?
	5. I Get Up at Seven	11. I Want to be a Photographer
	6. Can I Take a Picture?	12. I Will Join a Ski Camp
6	1. What Grade Are You In?	7. You Should Wear a Helmet
	2. Do You Know Anything About Hanok?	8. How Can I Get to the Museum
	3. When Is Earth Day?	9. How Often Do You Exercise?
	4. How Much Are These Pants?	10. Emily Is Faster than Yuna
	5. What's Wrong?	11. Why Are You Happy?
	6. I'm Going to Go on a Trip	12. Would You Like to Come to My Graduation?

※출처: 2015 개정교육과정 의거 영어과 전 학년 단원별 목차, 2019년 기준

교과서

영어는 유독 학교 수업과 사교육의 수준 차이가 확연합니다. 점점 더 두툼한 챕터북을 읽고 영어 일기를 쓰는 아이들이 3학년 영어 수업 시간에 'Hello'를 배우고 있는 것이 현실입니다. 동시에 학급 아이들의 수준 차이가 가장 심한 과목이기도 합니다. 영어 교과서를

통해 처음으로 영어를 접하는 친구와 원어민 수준의 회화가 가능한 친구가 같은 교실에서 수업을 듣고 있어 학교의 영어 수업은 준비도, 진행도 만만치 않습니다.

현재 초등영어는 3학년에 처음 시작되는 과목이며 3, 4학년까지는 말하기, 듣기 영역 위주로 익히다가 5학년이 되면서 읽기, 쓰기를 본격적으로 시작합니다. 초등 영어 교과서를 보면 가장 기본이 될 만한 문장유형을 단원별로 하나씩 익혀갑니다. 수업은 자료를 듣고, 들은 내용을 따라 말해보고, 제시된 주요 단어와 표현을 노래, 챈트, 게임 등의 활동으로 익히는 방식으로 진행됩니다. 그래서 영어를 처음 접하는 아이들도 수업에 참여하고 평가를 보는 데 큰 무리가 없으며, 영어에 능숙한 수준이라 하더라도 친구들과 영어로 게임하는 것을 즐거워하며 참여합니다.

단원마다 제시된 단어들로 간단한 테스트를 보는 경우도 있지만 쉬는 시간에 열심히 외우면 괜찮은 성적을 받을 수 있을 정도의 수준이니 너무 걱정할 필요 없습니다. 영어를 읽고 쓰는 것은 5학년에 시작되지만, 현실적으로 3학년이 되어 영어 수업을 시작할 즈음까지는 파닉스를 마치는 것이 학교수업을 따라가는 데 도움이 됩니다. 친구들은 영어를 줄줄 읽고 있는데 혼자만 알파벳을 더듬거리면 자신감이 떨어져 제대로 시작도 안 하고 영어가 싫어질 수 있거든요.

영어의 네 가지 영역에서 어느 하나 중요하지 않을 게 없지만 영어를 학습으로 접근할 때 가장 기본이 되는 것은 '듣기'입니다. 영어라는 언어가 어떤 식으로 들리는지 적응하고, '이렇게 들리는 이 문장은 이런 뜻이구나'를 눈치채는 지점에서 영어 학습은 시작됩니다. 따라서 매일 적어도 30분의 흘려듣기 노출 시간을 확보해주세요. 물론 시작은 언제나 조금씩, 10분부터입니다. 적어도 30분이라고 한 건 바쁜 우리 아이들의 스케쥴을 염려한 것일 뿐, 더 할 수 있는 여유가 있다면 늘려도 좋습니다.

영어 듣기가 다른 공부에 비해 오랜 시간을 해도 수월한 이유는 아이가 이걸 공부라고 느끼지 않는다는 점 덕분입니다. 다만 아이가 재미있어하여 다음 에피소드를 궁금해할 만한 영상을 골라 매일 시청하는 일에 정성을 들여야 합니다. 영어 흘려듣기를 꾸준히 진행하기 위한 현실적인 방법을 나누어볼게요.

1) 내 아이용 영어 영상 목록을 확보하세요.

영어 영상 선택의 기준은 오직 한 가지, '아이가 재미있어하는가'입니다. 재미없으면 오래 못 갑니다. 오래 못 가는 공부는 습관으로 만들기 어렵습니다. 재미있어야 매일 볼 수 있고 매일 봐야 귀가 뚫립니다. 영상의 수준, 내용, 단어 개수도 중요하지만, 더 중요한 것은 흥미입니다. 내 아이가 어떤 영상을 좋아서 매일 반복하게 될지는 아무도 알 수 없습니다. 아이 자신도 모르고, 부모도 그렇습니다. 자녀 교육서에서 강력 추천하는 바이블 같은 영상이라도 내 아이의 반응은 미지근할 수 있어요. 아이마다 나이, 성별, 성향, 경험 등에 따라 재미있어하는 포인트가 다르기 때문이지요. 좋은 영상이라며 강요할 필요 없고, 아이가 좋아하는 영상이 흔히들 많이 보는 영상이 아니라고 해서 불안해할 필요도 없습니다. 귀가 뚫릴 때까지 즐겁게 푹 빠져서 꾸준히 볼 수 있게만 해주세요.

요즘은 유튜브(무료)와 넷플릭스(유료)에 아이들이 언제든 틀어볼 만한 시리즈 영어 영상이 구름처럼 모여 있어 영어 공부하기 참 좋은 시절입니다. 관련된 인터넷과 책을 뒤져 연령별로 어린이가 볼 만한 영상을 최대한 많이 확보한 뒤 아이와 하나씩 찾아보며 우리 아이가 좋아하는 목록을 만들어보세요. 스스로 검색이 어려운 초기에는 부모가 해줄 수 있지만, 영상의 제목을 하나씩 직접 검색창에 넣어보는 것도 읽기, 쓰기의 경험이 되므로 시간의 여유를 갖고 아이가 스스로 해보게 하는 것도 좋습니다.

2) 내용을 이해했는지 확인하지 마세요.

잘 보고 나서 재미있었다며 싱글싱글 웃는 아이에게 어떤 내용이

었냐고, 내용이 이해되느냐고, 괜찮았냐고 묻지 마세요. 정 궁금하면 재미있었냐고만 물어보세요. 그것도 안 묻는 게 더 좋긴 합니다만. 확인하고 싶은 마음이야 굴뚝 같겠지만 허벅지를 찔러가며 참아야 합니다. 이해가 안 되어 답답하고 사실 절반도 못되게 이해한 것 같은데, 한국어로 보고 싶어 죽겠는 걸 꾹 참고 간신히 봤는데 내용에 관한 구체적인 질문과 조사가 쏟아진다면 정말 영어가 싫어집니다.

영어 공부하느라 미드를 본 적이 있다면 떠올려보세요. 남자 주인공은 삼삼하고 여자 주인공은 목소리 엄청 쨍쨍거리는데, 도서관에서 격렬하게 싸우면서 한마디도 못 알아들을 만큼 빠르게 대화를 주고받다가 갑자기 화해해서는 난데없는 키스로 마무리됩니다. 도대체 뭐 때문에 화가 났는지 정확히 모르겠고, 또 뭐라고 했기에 저 여자의 마음이 갑자기 풀렸는지 모르겠지만, 어쨌든 둘이 싸우다가 주고받은 말 중에 몇 마디는 건졌고 화해할 때 달콤하게 사랑한다고했던 것도 확실히 들었습니다. 정확히 이해하지 못했는데 그럭저럭 재미는 있었고 내일 또 한 편 이어서 볼 마음은 있는데 누가 내게 저 둘이 싸운 이유가 뭔지, 어떻게 화해하게 됐는지 설명해보라 한다면 자신 없습니다.

부모는 아이가 하는 모든 공부의 결과를 끝없이 확인하고 싶어합니다. 그게 아이를 위한 거라 착각하지만, 사실 부모 자신의 궁금함과 불안을 이기지 못하기 때문일 때가 많습니다. 약속한 시간만큼 보고 난 아이에게 수고했다고, 열심히 잘했다고만 하세요. 어쩜 이렇게 어려운 영어로 된 걸 집중해서 끝까지 봤느냐며 너 정말 대단하다고 호들갑을 떨어주세요. 우리의 진짜 할 일은 이런 종류의 것입니다.

3) 최대한 편안한 자세, 사랑스러운 분위기를 만들어주세요.

영어 영상을 보는 시간은 하루 중 가장 편안하게 늘어지고 방해받지 않는, 맛있는 간식이 함께하는 행복한 시간이 되었으면 합니다. 누군가 옆에 있어 주길 원하면 함께 있어주면 좋고, 습관이 되어 혼자도 잘 본다면 그 시간에 엄마는 쉬세요.

영상은 가능하면 TV와 연결하여 보는 시스템을 세팅해두는 것이 좋습니다. 패드와 스마트폰은 재미있어 빠져들수록 고개가 아래로 꺾이기 때문에 그 자세로 한 시간 보고 나면 목이 뻐근합니다. '듣기'가 목적이므로 음향은 되도록 크게 하는 것이 좋겠죠. 때문에 볼륨을 올려도 괜찮은 오후 시간이 좋고요. 개인적으로는 학교 다녀와 쉬고 간식을 먹으며 보는 습관을 추천합니다.

아빠가 퇴근하고 돌아와 TV를 돌려보며 몸과 마음의 긴장을 푸는 시간이 필요하듯 아이에게도 잘 짜인 휴식이 필요합니다. 편안한 의자에서 맛있는 간식을 먹으며 재미있는 영어 영상을 보는 시간이 기대되어 하굣길의 발걸음을 신나게 재촉했으면 좋겠습니다. 이렇게 내 아이의 스케줄, 컨디션, 취향, 성향을 반영한 매일의 공부 습관 전략은 부모만이 할 수 있겠죠?

4) 높은 수준의 흘려 듣기용 영상

영어 애니메이션 영상으로 몇 년간 흘려듣기에 충분히 노출된 아이들, 시사적인 뉴스를 이해할 만한 고학년 아이들이 시도해보면 좋은 영어 듣기 자료를 공유합니다.

① CNN 10

최신 CNN 뉴스가 10분짜리 영상으로 매일(주말 제외) 업로드되며, 전 세계적인 이슈를 폭넓게 다루고 있습니다. 전형적인 미국 억양과 발음을 가진 남자 앵커의 깔끔하고 유머러스한 진행이 돋보입니다. 사건, 사고, 정치, 경제 등의 최신 이슈를 서너 가지 정도 가볍게 다루고 있어 부담 없이 매일의 습관으로 만들기 적당합니다.

하나의 이슈가 끝나면 기사에 관한 정보 중 기초적인 정보를 확인하는 객관식 퀴즈가 한 문제씩 나오는데, 재미 삼아 풀어보면 좋습니다. 아이가 흔쾌히 퀴즈에 도전하면 좋지만 그렇지 않더라도 강요하지 말고 정답을 맞혔는지에는 큰 의미를 두지 마세요. 아직 아이가 이 정도의 수준이 아니라면 언젠가 함께 볼 날을 기대하며 부모가 먼저 매일 10분씩 챙겨보는 것을 추천합니다. 부모가 재미있게 보는 무언가를 아이가 함께 보고 싶어 하는 건 당연한 일이거든요. 아이 취향이 아니라서 별 효과를 보지 못하게 되더라도, 부모의 좋은 습관 하나 건졌으니 이만하면 안 하는 것보다 훨씬 낫지 않나요?

• https://www.cnn.com/cnn10

②TED

TED(Technology, Entertainment, Design)는 미국의 비영리 재단에서 운영하는 강연회입니다. 정기적으로 기술, 오락, 디자인 등과 관련된 강연회를 개최하며, 최근에는 과학에서 국제적인 이슈까지 다양한 분야의 강연회를 개최하고 있습니다. 강연은 보통 18분 내외이며, 강연 하나하나를 'TED TALKS'라 부릅니다. '알릴 가치가 있는 아이디어(Ideas worth spreading)'가 모토인 만큼 초등 고학년들이 관심 가질 만한 흥미로운 콘텐츠도 상당수 업로드되어 있습니다.

이 강의들은 테드 홈페이지 말고도 유튜브에서도 쉽게 찾아볼 수 있는데, 유튜브 영상에는 한글, 영어 자막이 서비스되어 있기도 하므로 필요한 경우 활용할 수 있습니다. 역시나 CNN 뉴스처럼 부모의 습관으로 제격입니다. 저는 패션, 사랑, 육아, 독서 등 평소 제가 관심 있었던 주제에 관한 강의만 쏙쏙 찾아 듣곤 합니다. 그래야 재미있게 매일 들을 수 있으니까요. 다음의 주소로 TED 홈페이지에 접속하면 자막 없는 최신 강의를 언제든 시청할 수 있습니다.

• https://www.ted.com

5) 집중 듣기

영어책을 읽을 때 오디오 음원을 들으면서 음원에 나오는 단어를 손가락으로 짚거나 눈으로 따라 읽는 것을 '집중 듣기'라고 합니다. 듣기와 읽기가 동시에 진행되기 때문에 고도의 집중력이 필요한 작업입니다. 흘려듣기는 모든 문장을 정확하게 듣지 못해도 영상의 내용을 미리 알고 있거나 화면만 봐도 유추할 수 있기 때문에 자연스럽게 영어를 입력하는 방식이라면, 집중 듣기는 이 단어가 어떻게 소리 나는지를 하나하나 꼼꼼하게 듣고 배우는 조금 더 적극적인 형태의 듣기입니다.

그렇다 보니 당연히 재미가 없습니다. 책보다 영상이 재미있고, 꼼꼼하게 듣는 것보다 흘려듣는 게 쉬운 건 당연하겠죠. 흘려듣기와 영어 독서가 충분히 자리잡은 후에 시도해도 늦지 않습니다. 집중 듣기가 중요한 것은 맞지만 아직 영어에 충분히 노출되지 않은 아이에게 무리하게 시도할 필요 없다는 뜻입니다.

꾸준한 영어 독서를 통해 좋아하는 취향의 영어책이 생기고, 흘려듣기가 충분히 되어 편안하게 들으면서 볼 수 있을 정도가 되면 가장 좋아하는 책의 음원을 이용하여 집중 듣기를 시도해보세요. 음원은 책과 함께 제공되는 CD를 이용하는 경우가 일반적인 방법입니다.

말하기 Speaking

원어민처럼 부드럽게 발음하는 아이들을 보면 영어유치원에 보냈어야 하나, 외국에 가서 몇 년 지내다 와야 하나 싶을 정도로 부러운 마음이 듭니다. 그런 친구들 옆에 있다 보면 내 아이의 평범한 한국식 영어는 초라하게 느껴지기도 합니다.

언어 습득의 기본 원리를 생각해볼게요. 아이는 태어나 일 년이 넘는 시간 동안 매일같이 반복하여 들은 부모의 단어를 하나씩 흉내 내다가 비로소 "엄마" 하고 간신히 입을 뗍니다. 언어는 듣고 따라 하다 보면 보이지 않을 만큼 조금씩 발전합니다. 인풋, 즉 듣기의 양이 충분해야 비로소 말하기가 시작될 수 있다는 의미입니다. 말귀를 알아듣기 시작하면서 내뱉게 되는 것과 같은 원리입니다.

듣기가 되지 않는 아이가 말하기를 잘한다는 건 앵무새처럼 말하기를 열심히 연습한 결과일 뿐이지 실제 외국인과 대화가 가능하다는 의미가 아닙니다. 상대가 말하는 문장의 의미를 모르기 때문에 아무리 발음이 좋고 연습한 문장이 많아도 실제 회화로 이어지기 어렵습니다. 꾸준한 듣기가 쌓여 말하기로 표현될 때까지 걸리는 시간은 영어 노출의 양, 경험의 종류에 따라 제각각이기 때문에 친구들과의 비교는 큰 의미가 없습니다. 어느 수준 이상의 영어가 아니라면 더 좋은 발음과 그렇지 않은 발음을 비교할 필요도 없습니다. 알게 된 문장, 보고 들었던 표현을 한 번이라도 더 사용해보는 기회가 말하기의 필수조건입니다.

아이가 영상과 책에서 듣고 배운 영어를 말해보려고 시도할 때 자신감 있게 표현할 수 있도록 허용적인 분위기를 만들어주세요. 부모가 먼저 영어로 말을 꺼내어보세요. 발음이 엉망이고 문법이 틀려도 상관없습니다. 한국어를 배우는 외국인들을 생각해보세요. 대단하지 않나요? 우리가 영어를 하는 것도 다르지 않습니다. 완벽한 문장으로 말해야만 그 언어를 할 수 있는 건 아니에요. 외국으로 데리고 나가 키울 상황이 아니라면 가장 현실적인 방법을 꾸준히 해보는 게 정답입니다.

매일 1분씩 영어로 대화를 주고받아 보세요. 뭐가 됐든 영어로 대화하며 자신감을 가지는 것이 일주일에 한 번 원어민 선생님과 과외 수업을 하는 것보다 훨씬 효과적일 수 있습니다. 경제적인 형편 때문에 아이에게 더 나은 사교육을 제공해주지 못하는 것 같아 미안하고 초라한 마음이 드시나요? 원하지 않는 수업을 멍하니 듣고 앉아 있다가 늦은 저녁 돌아와 꾸역꾸역 숙제하는 것보다 엄마와 아빠와 동생과 콩글리시를 주고받으며 자신감을 붙여가는 게 훨씬 더 큰 공부입니다. 이때 아이의 문장이 무슨 뜻인지 이해할 수만 있으면 됩니다. 아이가 열심히 고민해서 만들어낸 문장을 지적하여 고쳐주지 마세요. 말만 하면 지적당할 텐데 입을 벌릴 이유가 없습니다. 엉망이어도 괜찮으니 시트콤을 찍듯 아무 말이나 주고받는 분위기가 중요합니다.

가능하다면 아이가 영어로 말하는 모습을 촬영하는 것도 추천하고 싶습니다. 촬영한 영상을 가족이 모였을 때 틀어놓고 함께 보고, 퇴근한 아빠에게 자랑하고, 명절에 모인 친지들에게 자랑해주세요. 스스로 문장을 만들어 말하는 걸 어려워한다면 쉬운 책에 나온 짧은 문장을 그대로 외워서 말하는 것도 좋은 시작입니다. 그렇게 매일 찍은 영상을 아이가 다시 열어보게 해보세요. 세상에 그렇게 재미있는 영상이 없습니다.

영어 학습으로 전화, 화상 영어를 고려하는 경우도 있는데, 이런 형태의 말하기 수업의 전제는 듣기가 가능해야 한다는 것입니다. 전화 너머, 영상 속의 원어민 선생님의 말을 알아듣지 못하는데 아이에게 영어로 말하라고 강요했다가는 오히려 외국인과의 대화가 공포스러워지는 역효과를 불러올 수 있습니다. 충분히 듣기에 노출되었고 영어문장을 편안하게 읽을 정도의 수준이라면 이제 엄마와의 아무 말 대잔치를 끝내고 전화, 화상 영어를 시작해보는 것도 좋습니다.

파닉스를 뗐다면 더듬더듬 영어책 읽기를 시작해봅시다. 초등의 한글 독서 목표가 사고력 향상이라면, 영어 독서는 어휘력과 독해력 향상, 영어 글쓰기의 바탕이라는 뚜렷한 기능적 목표가 존재합니다. 그러므로 접근 방식도 달라야 합니다.

한글책은 때로 아이 수준보다 좀 높거나 관심 없는 분야의 책도 시도해볼 수 있지만, 같은 시도를 영어에 적용하는 건 무리입니다. 영어책은 한글 독서 수준보다 훨씬 낮게 잡고 시작해야 하고 아이가 느끼기에 충분히 재미있는 내용이어야 합니다. 만만하고 흥미로운 책으로 넘칠 만큼 충분한 시간을 보내고 나면 자연스레 수준이 올라가고, 어느 순간 폭발적인 성장을 확인하게 됩니다. 성장 속도가 더딜 수밖에 없고 제대로 이해하고 있는지 확인하기 힘들어 집에서 꾸준히 하기 어렵다고 생각하지만, 습관만 잘 잡히면 이보다 쉽고 효과적인 공부가 없습니다.

한글책처럼 마음만 먹으면 줄줄 읽을 수 있는 게 아니므로 훨씬 더 여유로운 마음과 큰 칭찬으로 시작해주세요. 레벨, 독서 지수, 어휘 지수에 신경 쓰면서 아이만의 속도, 취향을 존중한 책을 고르는 것이 최우선입니다. 그림책으로 시작하여 두꺼운 원서에 도달하기까지, 한글책을 읽듯 편안하게 영어책을 가까이하는 요령과 이를 위한 매일 습관을 공유합니다.

책 한 페이지에 한두 개의 짧은 문장으로 이루어진 그림책부터 시작해야 하는 걸 알면서도 스멀스멀 올라오는 욕심에 자꾸 조금 더 길고 어려워 보이는 책을 들이미는 게 엄마 마음입니다. 아이 친구의 영어책이 두꺼워진 걸 알게 된 날이면 더 두꺼운 책, 조금 더 수준 높아 보이는 책을 권하고 읽어보라고 합니다. 아이는 읽으라고 하면 읽습니다. 눈으로 읽기도 하고 낭독해보라고 하면 곧잘 합니다. 그러면 레벨이 점점 높아지는 것 같지만 부모의 희망일 뿐, 그 사이 어느 곳에서 길을 잃었는지 아이도 부모도 알 수가 없게 됩니다.

과하다 싶게 쉬운 책으로 반복해야 하는 이유는 뚜렷합니다. 아무리 쉬운 책의 문장이라도 영어에 익숙지 않은 아이에게는 어렵게 느껴지는 규칙과 단어들로 만들어져 있습니다. 이 책이 어떤 내용인지 어렴풋하게 이해할 수는 있지만, 책에 나온 문장을 직접 말하거나 쓰는 건 어렵다는 뜻이죠.

반대로, 읽은 책의 문장을 보지 않고 쓸 수도 있다는 목표로 낮은 수준의 책을 반복하다 보면 영어의 문장 구조가 아이의 눈에 들어옵니다. 심플한 문장에 나온 단어를 하나만 바꾸어 자기가 말하고 싶은 문장으로 활용합니다. 그렇게 쉬운 수준의 문장들에 단련되고 나면 강요하지 않아도 조금 더 어려운 책들로 눈을 돌리게 되는데, 이 과정을 기다리지 못하고 대부분 포기하는 것이 문제입니다.

많은 부모가 독서 수준이 늘지 않는다며 독해 문제집으로 진도를 나가는 학원을 찾고, 레벨에 맞춘 문제집 풀이로 아이의 수준을 확인하려고 합니다. 하지만 조금만 더 기다렸다면 아이 스스로 수준을 높여갔을 텐데 싶어 안타까운 마음이 든 적이 많습니다. 한 쪽 안에 모르는 단어가 없거나 한두 개 정도밖에 되지 않는 낮은 수준의 책으로 시작하여 충분히 자신감을 갖게 한 후 단계를 높이면서 진행해도 늦지 않는 것이 영어 독서입니다.

특별히 주관을 가지고 진행하고 있는 영어 도서가 없다면《ORT》로 시작하기를 추천합니다.《ORT》는 'Oxford Reading Tree'의 약자로, 영국 옥스퍼드 대학 출판사에서 출간한 어린이 그림책입니다. 얇으면서도 재미있는 그림이 삽입되어 있고 단계별로 정리되어 있어 성취감을 느끼기에 좋습니다. 공식 홈페이지와 국내 출판사를 통해 단계별로 구입하며 아이 취향, 속도에 맞게 추가하는 방식을 권합니다.《ORT》 전집을 처음부터 한 번에 사려면 금액 부담이 상당합니다. 이때는 믿을 만한 중고 거래 사이트를 통해 단계별로 조금씩 들이는 것도 방법이지요. 모든 단계의 책이 빠짐없이 필요한 게 아니기 때문에 각 단계별로 10권씩 정도라면 읽기 연습에는 충분합니다. 저는 1, 2단계를 사서 읽히면서 슬슬 3, 4단계 중고 책을 준비해두고 3, 4단계 읽힐 때 5, 6단계 중고 책을 알아보는 식으로 책 구매에 드는 비용을 줄였습니다.

영어 독서를 위한 매일의 적정 시간은 아이의 집중력, 한글 독서 이력, 독서에 대한 호감도 등에 따라 섬세하게 조절해야 합니다. 그래서 부모만이 할 수 있는 일입니다. 보통 저학년의 영어 독서는 5분, 10분이면 충분합니다. 점차 시간을 늘려 중학년이 되면 최소 30분 정도는 확보하되 시간적 여유가 있고 재미있어 한다면 한 시간 이상의 독서도 가능한 나이입니다. 고학년이 되면 더 폭넓은 독서가 가능하지만 현실적으로 시간이 부족할 때가 많으므로 스케쥴에 무리가 가지 않게 진행하되 중학년과 마찬가지로 최소 30분의 독서 시간은 확보하고 꾸준히 할 수 있도록 계획을 세우세요.

영어 독서습관이 자리잡히고 있다고 느껴지면 짧은 문단을 읽고 내용을 확인하는 문제로 구성된 영어독해 문제집을 시도해보는 것도 좋습니다. 문제집에 제시된 영어 문단도 독서의 일종이기 때문에 책 읽기가 지겨워진 아이에게 글과 문제로 이루어진 문제집이 신선하게 느껴질 수 있습니다. 제시된 지문이 편안하게 읽히는 쉬운 수준이어야 해당 문제를 풀기에 적절합니다. 지문도 이해 못 하는데 문제를 풀 수는 없겠지요. 좀 쉽다 싶은 레벨의 문제집을 추천합니다. 책 읽기와 병행해볼 좋은 도구입니다.

어떤 독해 문제집을 선택해야 할지 고민된다면 시중에 판매 중인 미국 교과서의 지문으로 구성된 교재가 무난합니다. 다니고 있는 학원에서 독해 문제집을 하는 중이라면 추가할 필요 없이 독서에 집중하면 되고요.

쓰기 Writing

듣고, 말하고, 읽고, 쓰는 영어 학습의 네 가지 영역을 모두 균형 있게 습관으로 잡아가기란 쉽지 않습니다. 그중 듣기, 말하기, 읽기까지는 학습지, 엄마표, 방과후 학교 프로그램, 공부방 등으로 어느 정도 진도를 이어갈 수 있는데, 문제는 '쓰기'입니다. 한글로도 글쓰기라면 고개를 절레절레하는 아이에게 영어로 글을 써보자니요. 할 엄두가 나지 않습니다. 영어에 자신 있고 곧잘 하는 아이들도 영어로 글쓰기는 막연히 두려워하여 선뜻 시도하기 어려워합니다.

영어 작문도 기본은 영어 독서입니다. 영어로 글쓰기를 부담스러워 한다면 영어 독서량이 충분한지 점검해야 합니다. 꾸준한 영어 독서로 책의 내용을 잘 이해하고 자신 있게 쓸 수 있는 단어가 늘고 있다면 천천히 시도해보세요.

책을 많이 읽는데도 여전히 영어로 글쓰기를 힘들어하거나, 아직 한 번도 시도해보지 않았다면 오늘 바로 시작해볼 수 있는 글쓰기 요령을 알려드릴게요. 첫술에 배부를 수 없음을 기억하고 아이가 서툴게 써온 몇 줄의 글에 넘치는 감탄, 환호, 박수를 보내주세요. 혼자 힘으로 글을 써냈다는 성취감과 부모로부터의 인정이 아이로 하여금 계속해서 글을 쓰고 싶게 만들 거예요. 공들여 연습한 만큼 가장 큰 보람을 느끼게 되는 영역이니 지레 겁먹고 포기하지 말고 도전해보기를 권합니다.

처음 시작해보면 도대체 무슨 말인지 이해할 수 없는 글을 들고와 당당하게 내미는 아이의 모습에 답답하기도, 웃음이 나기도 합니다. 이렇게 해서 언제 발전할까 싶어 영어 쓰기 과외를 붙여야 하나 검색이 시작되지요. 그러지 말고 번역기를 돌리고 책에서 그대로 베끼고 말도 안 되는 글을 읽으며 최고라고 감탄하는 일을 눈 딱 감고 1년만 해보세요. 그래도 안 되면 그때 과외 선생님을 모셔도 늦지 않습니다.

한글을 떼고 더듬더듬 한글책을 읽고 서툴게 자기 이름을 쓰고 그림일기를 쓰던 아이의 모습을 떠올려보세요. 그 모든 과정이 영어에도 똑같이 적용된다는 원리를 기억하고 습관이 될 수 있도록 꾸준히 시간과 노력을 투자해주세요.

1) 구글 번역기를 활용해보세요.

스마트폰 시대에 태어나 성장하고 있는 우리 아이들은 스마트폰을 당당하게 사용할 기회라면 흔쾌히 공부할 마음이 생깁니다. 스마트폰으로 하는 일은 뭐든 일단 재미있다고 생각하는 거죠. 그것이 비록 '영어 일기'라는 골치 아픈 과제일지라도 말이죠. 아이들의 이런 성향을 학습에 최대한 활용하여 효과와 재미를 모두 얻어보세요.

먼저 '구글 번역기' 앱을 설치하고 사용법을 알려주면서 재미있는 문장을 직접 입력했을 때 바로 영어로 번역되는 기능을 소개해주세요. 며칠 지나지 않아 부모님보다 훨씬 능숙하게 앱을 다루며 활용하는 모습을 보게 될 거예요. 아이가 직접 입력한 한글 문장이 번역되어 나오면 그 영어문장을 그대로 공책에 옮겨 적는 것으로 오늘의 영어 글쓰기는 끝입니다. 정말 끝이냐고요? 언제나 강조하듯 시작은 소박하게, 아쉬울 만큼 짧아야 합니다. 영어 글쓰기를 가르쳐보겠다고 주어+동사, 1형식, 2형식을 가르치며 문법부터 시작했다가는 부모도 아이도 금방 지쳐버립니다. 한 문장만 쓰고 그만 쓰게 해도 아이는 번역기가 신기하고 스마트폰 사용이 재미있어 더 하고 싶다고 할 거예요.

과연 이렇게 번역된 문장을 옮겨 쓰는 것이 효과가 있을까요? 있습니다. 내가 입력한 문장이 영어로 어떻게 변화되는지 관찰할 수 있기 때문에 이 과정이 반복되어 쌓이면 점차 어떻게 번역될지 예상할 수 있게 되고, 나아가 직접 문장을 변형하고 만들 수 있게 됩니다. 번역된 영어문장을 눈으로 읽고 직접 공책에 옮겨 적는 과정은 영어 글쓰기의 중요한 습관으로 자리잡게 되고요. 비록 스스로 만든 문장은 아니지만 영어문장을 쓰는 연습 자체가 자발적인 글쓰기에 도움이 됩니다.

이때 한 가지 주의할 점이 있습니다. 주어가 생략되는 한글 문장의 특징 때문에 영어 문장 번역이 어색하거나 오류가 생기는 경우가 있어요. 따라서 한글 문장을 입력할 때 '나는' 혹은 '우리는'과 같은 주어를 넣도록 안내해주면 번역기 시스템에 쉽게 적응할 수 있답니다.

2) 영어책을 따라 쓰게 하세요.

'필사'라고도 부르는 '따라 쓰기'는 한글 글쓰기에도 활용되는 훌륭한 방법인데요, 영어 글쓰기에서는 더욱 강력한 효과를 발휘한답니다. 귀로 듣고 입으로 말하고 눈으로 읽어왔던 문장들을 따라 쓰는 연습은 스스로 생각한 것을 영어로 표현하는 데 단단한 바탕이 될 수 있어요.

이때 영어책 선택에 주의해야 합니다. 부모의 욕심으로 어려운 책, 내용의 절반 이하밖에 이해하지 못하는 책, 아이의 관심사와 흥미가 반영되지 않은 책은 따라 쓰기를 아무리 열심히 해도 자발적인 글쓰기로 연결되기 어렵습니다. 백프로에 가까울 정도로 이해도가 높으며 아이가 평소 좋아하던 책, 모르는 단어가 좀 있긴 하지만 전체 내용을 훤하게 알고 있는 책으로 시작해주세요. 아이에게서 '이렇게 쉬운 책을 따라 쓰라고?'라는 반응이 나왔다면 잘 고르신 겁니다.

아무리 쉬운 책이라 해도 그 안에 담긴 모든 문장의 구조는 완벽

합니다. 그 정도의 문장만 제대로 익혀도 당분간 영어로 글을 쓰는 데 전혀 문제가 없을 정도의 기본적이고 활용도 높은 문장 구조로 이루어져 있습니다.

책의 문장을 그대로 따라 쓰는 일은 크게 머리를 쓰지 않아도 음악을 듣거나 잡담을 하면서 혹은 간식을 먹으면서 할 수 있습니다. 아이 입장에서 만만한 공부로 느낄 수밖에 없습니다. 한 문장을 반복하여 여러 번 쓰는 것으로 시작하여 한 페이지 모두 쓰기, 한 챕터 옮겨 쓰기로 난이도를 높여가세요. 이렇게 옮겨 쓰는 동안 손에 익은 영어문장의 구조가 혼자 힘으로 글을 써야 하는 순간에 빛을 발합니다. 문장을 쓰기 위해서는 어쩔 수 없이 그 문장을 읽어야 하므로 읽기의 효과까지 동시에 누릴 수 있습니다.

3) 형광펜만 사용하세요.

시어머님 생신을 축하하기 위해 평소에 해본 적도 없는 갖가지 레시피를 동원하여 처음 생신상 차리기에 도전했다고 해봅시다. 당연히 맛도 모양도 만족스럽지 못하고, 스스로 부끄럽고 아쉬움이 많이 들 거예요. 알고 있다고요, 훌륭하지 못하다는 거. 아쉬움이 남긴 하지만 어쩔 수 없습니다. 그리고 드디어 시어머님의 평가가 시작되었습니다. "잡채는 좀 짠 편이고, 식혜는 싱겁고, 떡 케이크는 딱딱하구나. 열심히 잘 준비했는데, 내년 내 생일에는 미역국에 꼭 전복을 넣어주고 고구마 케이크를 준비해보렴. 그래도 이렇게 준비하느라 수고 많았다."

여기까지 읽고 분노하지 않을 며느리 있으시면 제게 연락 좀 주세요. 왜 갑자기 시어머니의 생신상 타령이냐고요? 우리가 딱 그렇게 하고 있거든요. 아이가 애써 적어온 글을 보며 여기저기 고칠 것, 다시 할 것, 추가할 것을 체크하는 일에만 관심이 있습니다. 내일 쓸 때는 이러이러한 내용을 추가해도 좋겠다며 친절하게 조언을 하지요. 아이도 알고 있어요. 열심히 썼지만 이 글에는 정말 많은 오류가 있다는 거, 이렇게 쓰면 안 될 것 같다는 거, 이것보다는 더 잘 쓸 수 있지만 지금 당장은 불가능하다는 거, 더 노력해야겠다는 거.

얼굴이 벌게지도록 끙끙대며 써온 아이의 글을 읽으며 혹시 빨간 펜을 들고 틀린 곳을 체크하고 있지 않나요? 부족함에도 내심 칭찬을 기다리고 있던 아이는 곳곳의 빨간 표시를 보며 '저의 부족한 부분을 알려주셔서 정말 감사합니다'라고 고마워할까요? 시어머니의 평가에 기분 상한 며느리는 분을 못 참고 결국 남편을 들들 볶아대지요. 우리 아이들은 화풀이할 남편도 없다고요.

잘못된 것을 지적해주면 그것을 쏙쏙 흡수해 내일의 글쓰기에 반영하고 훨씬 더 훌륭한 글을 짓게 될까요? 장담하건대, 쓰고 지적받고 고치고 다시 쓰고를 반복하다가 일주일도 못 가 더 이상은 못 쓰겠다고 버티는 아이와 대치하게 될 겁니다. 몇 줄이든, 말도 되지 않는 문장이든 그저 그렇게라도 써낸 것만 칭찬해주세요. 어휘가 쌓이고 영어 독서량이 늘어가면서 올챙이가 개구리로 변하듯 달라진 영어 작문 실력을 보여줄 거예요. 단, 매일 쓰기만 한다면 말이죠.

영어로 글을 쓰는 첫 1년간은 절대 빨간펜를 들지 마세요. 대신 아이가 좋아하는 색깔의 형광펜을 준비하세요. 두 단어에 하나꼴로 보이는 잘못된 용법의 단어, 숙어, 시제는 그냥 지나쳐야 해요. 대신 우리가 할 일은 '오늘의 최고 문장'을 고르고, 그곳에 멋지게 형광펜을 긋는 일입니다. 그 문장에도 분명히 오류가 있겠지만 상관없습니다. 조금이라도 색다른 단어, 표현, 문장을 만들어낸 아이에게 감탄하고 칭찬의 마음을 형광펜으로 과장되게 표현해주세요. 아이는 내가 적은 어떤 문장이 그렇게 부모님을 감동하게 했는지 다시 읽어보며 내일은 더 잘 써야겠다고 다짐하게 됩니다.

단어

파닉스를 익히면서 등장했던 몇 가지의 일상 단어들을 기억하는 것으로 영어 단어 학습이 시작되었을 거예요. 기본은 영어 독서라고 생각하세요. 한글책을 읽으면서 새로운 단어를 하나씩 익혀갔던 것처럼 영어도 같은 원리를 적용하되 더 여유 있게 생각해주세요. 책에서 본 한글 단어는 일상에서 사용되므로 훨씬 더 쉽고 빠르게 습득되지만, 영어 단어는 영어 영상, 책 속에서만 한정적으로 노출되고 있기 때문에 속도가 느릴 수밖에 없습니다.

책을 읽거나 영상을 보던 아이가 처음 보는 단어를 궁금해할 때는 어떤 뜻인지 추측하게 해보고, 몰라도 전체 문맥에 큰 무리가 없다면 그냥 넘어가는 것도 괜찮습니다. 새로운 단어가 나올 때마다 사전을 찾고 뜻을 기억하다 보면 영상의 흐름, 독서의 재미가 깨지기 쉽고 뜻을 추측해볼 기회를 빼앗게 되기 때문입니다. 되도록 쉬운 수준의 영상, 책으로 시작해야 하는 이유도 이 때문입니다.

모르는 단어가 절반이 넘는 영상을 보고 책을 읽는 것은 성인인 우리에게 '전립선 종양에 관한 임상적 고찰'이라는 의과대학 교수의 논문을 매일 반복해서 읽으라는 것과 같습니다. 매일 읽다 보면 언젠가 이해하고 낯선 의학 용어도 내 것이 되는 날이 올까 모르겠습니다만, 그때까지 얼마나 고통스러운 긴 시간을 보내야 할까요?

고학년이 되어 영어책이 제법 두꺼워지고 본격적인 속도를 내게 될 즈음이 되면 영어 단어를 매일 암기하는 것이 도움이 됩니다. 초등 영어 단어가 수록된 시중의 교재 한 권이면 충분합니다. 교재의 차이는 크지 않으니 아이에게 직접 고를 기회를 주는 것이 좋습니다. 이미 아는 단어와 매일 새롭게 알게 되는 단어를 형광펜으로 체크하면서 성취감을 높이고 한 권 안에 있는 단어를 모두 내 것으로 만드는 경험을 갖게 해주세요.

시작은 언제나 소박하게, 다섯 개도 좋고 열 개도 좋습니다. 조금씩 꾸준히 늘려가면 된다는 여유 있는 마음이 중요합니다. 단어를 잘 외웠는지 확인할 때는 불러주거나 시험지를 따로 만들지 말고, 오늘 외운 단어를 영어와 한글로 모두 기억하여 백지에 적어보는 것이 뇌의 저장 용량, 암기 능력을 키우는 데 효과적입니다.

초등 영어 영역 학습 계획 예시

영역	학년	필수	선택 (가정)	선택 (사교육)
교과서	3학년 이상	영어 수업 잘 듣기		영어 학습지 영어학원
듣기	전학년	영어 영상 흘려듣기	오디오북 집중 듣기	영어학원 전화, 화상영어
말하기	전학년	영어 영상 흘려듣기	영어 대화 주고받기 영어 말하기 영상 찍기	영어학원 회화 수업 전화, 화상영어
읽기	전학년	영어 독서	영어 독해 문제집 (3학년 이상)	영어 학습지 영어학원 영어 도서관
쓰기	3학년 이상	영어 일기	영어 쓰기 문제집	영어 학습지 영어학원 영어 도서관
단어	3학년 이상	영어 독서	초등 영단어 교재	영어 학습지
문법	5학년 이상	영어 독서	초등 문법 교재	영어학원 영어 문법 학습지

05

[사회] 복습이 가장 큰 효과를 발휘합니다

교과서 | 단원평가 | 역사

.... 사회는 1, 2학년 때 통합 교과에 편성되어 있다가 3학년 때 본격적으로 등장하는 과목입니다. 새로운 어휘와 개념이 속속 등장하여 암기할 것도, 이해해야 할 것도 많습니다. 그래서인지 처음 접하는 학년 초반에는 호기심 가득 시작하지만, 복습이 밀리기 시작하면서 점점 어렵고 재미없는 과목, 시험공부 하기 힘든 과목으로 생각하게 됩니다. 또 본격적인 서술형 평가가 시작되면서 단순 암기만으로는 단원평가의 성적을 기대하기 힘들어졌습니다. 단편적인 지식이 아닌 내용 전체를 이해하고 개념을 정확하게

알고 있는지를 묻는 서술형 문항에 대비해야 하니 겁이 날 만도 합니다.

사회 과목에 전에 없던 새로운 개념이 등장하는 건 사실이지만 교과서 복습만으로도 충분할 정도로 분량이 적기 때문에 미리 긴장하고 겁먹을 필요 없습니다. 3학년에 대비하여 사회, 과학 관련 배경지식을 담은 전집을 구매하는 경우가 많은데요, 이것도 좋은 방법이지만 최고의 방법은 아닙니다. 관심 분야가 아니라면 큰 재미가 없어서 아이가 그 책을 알뜰히 볼 가능성은 매우 낮습니다. 또, 학습용 도서에만 익숙해져 버리면 동화, 소설류의 긴 호흡이 요구되는 독서를 부담스럽게 느낄 수 있습니다.

초등 사회 교과는 우리 고장의 모습을 알아보는 것으로 시작하여 가족, 환경, 지리, 문화, 정치, 인권, 사회 변화, 교통, 통신, 경제, 역사 등 사회 전반에 관한 다양한 분야를 다루고 있습니다. 배경지식이 풍부하다면 생각보다 흥미롭고 쉽게 접근할 수 있습니다. 따라서 배경지식을 넓힐 수 있는 다양한 방법에 관한 고민이 필요합니다.

초등 사회 교육과정

학년	1학기	2학기
3	1. 우리 고장의 모습	1. 환경에 따른 삶의 모습
	2. 우리가 알아보는 고장 이야기	2. 시대마다 다른 삶의 모습
	3. 교통과 통신 수단의 변화	3. 가족의 형태와 역할 변화
4	1. 지역의 위치와 특성	1. 촌락과 도시의 생활 모습
	2. 우리가 알아보는 지역의 역사	2. 필요한 것의 생산과 교환
	3. 지역의 공공기관과 주민 참여	3. 사회 변화와 문화의 다양성
5	1. 국토와 우리 생활	1. 옛사람들의 삶과 문화
	2. 인권 존중과 정의로운 사회	2. 사회의 새로운 변화와 오늘날의 우리
6	1. 사회의 새로운 변화와 오늘날의 우리	1. 세계 여러 나라의 자연과 문화
	2. 우리나라의 정치 발전	2. 통일 한국의 미래와 지구촌의 평화
	3. 우리나라의 경제 발전	3. 인권 존중과 정의로운 사회

※출처: 2015 개정교육과정 의거 사회과 전 학년 단원별 목차, 2019년 기준

교과서

초등학생들에게 교과서 복습이 가장 큰 효과를 발휘하는 과목이 바로 '사회'입니다. 개념 정리가 필요한 관련 어휘, 시대와 지역별 상황, 내용의 이해를 돕는 사진과 삽화 등 교과서 한 권만으로 충분할 정도로 알차게 구성되어 있습니다. 개념 정리가 잘 되어 있는 것은

물론이고 흥미롭게 읽어볼 만한 참고자료들도 충분히 수록되어 있어 전과, 문제집 등의 추가 교재가 없어도 괜찮습니다.

사회 교과서 한 권을 추가로 구매하여 집에 두고 복습용으로 사용해보세요. 오늘 학교에서 배운 내용을 훑어본 후에 말로 설명하기, 그림으로 표현하기, 배움공책에 적어보기, 가족들에게 퀴즈 내보기 등 간단한 확인 과정만 거치면 복습이 밀리지 않습니다. 내용을 정확히 이해하고 있는가를 문제집으로 확인하는 것도 나쁘지 않지만, 배우고 기억하는 내용을 떠올려 공책에 정리해보는 것이 더 효과적입니다.

3학년 때 배우는 지역 교과서와 <사회과 부도>는 학교에서만 활용해도 충분하지만, 이 중 <사회과 부도>는 국내외 모든 곳의 지도와 국가별, 지역별 통계가 포함된 엄청나게 훌륭한 교재입니다. 학교에서뿐만 아니라, 가족 여행을 앞두고 함께 여행을 준비할 때 지도책으로 활용해보는 것도 좋습니다.

단원평가

사회 역시 서술형 평가가 도입되면서 까다롭게 느껴질 수 있는 과목입니다. 이전의 평가가 교과서 내용 속 개념을 암기하고 있는지, 개념들을 서로 비교할 수 있는지를 객관식, 주관식 문항으로 해결했다면, 서술형 문항은 두 가지 이상의 능력을 한 문항으로 평가할 수 있도록 조금 복잡하게 설정되어 있습니다. 사회과 서술형 평가의 문항을 예로 들어 설명할게요.

[3학년 1학기] 3단원 교통과 통신 수단의 변화

* 사람들이 이용하는 교통수단이 서로 다른 이유를 예를 들어 설명하시오.

[4학년 1학기] 3단원 지역의 공공기관과 주민 참여

* 시민 단체의 의미를 서술하시오.

[5학년 2학기] 2단원 사회의 새로운 변화와 오늘날의 우리

* 교통이 발달하면서 우리의 생활은 어떻게 변하였는지 세 가지 쓰시오.

[6학년 1학기] 2단원 우리 나라의 정치 발전

★ 일제의 침략에 맞서 우리글과 역사를 지키기 위해 조상들이 했던 노력을 구체적으로 서술하시오.

문항을 보면 짐작할 수 있듯 개념의 의미를 설명해야 하고, 때로는 비교하여 설명할 수 있어야 하며, 적절한 예를 들어 설명할 수 있어야 합니다. 수업 시간에 다룬 교과서 내용을 그대로 반영한 문제이기 때문에 복잡하거나 까다롭지 않지만, 문제에서 묻고 있는 것을 파악하여 정답을 서술하는 과정 자체가 그리 간단하지 않습니다. 그러나 교과서 내용을 이해하고 중요한 개념을 외웠다면 하나도 어렵지 않을 문제이기도 합니다. 교과를 위한 분야별 전집과 그 전집을 활용한 추가 수업보다도 교과서를 기반한 매일의 복습이 더 효과적인 이유입니다.

역사

초등 5학년 2학기 사회 과목에서 역사 영역을 다루기 시작하며 6학년이 되면 고조선부터 시작되는 본격 한국사 수업이 진행됩니다. 평소에 역사 관련 책을 즐겨 읽고 흥미를 보이던 아이라면 문제없겠지만 그렇지 않은 아이에게 대한민국의 길고 복잡한 역사는 상당히 부담스러울 수 있습니다. 그래서 4, 5학년 정도 되면 '역사논술', '역사토론', '한국사능력검정시험' 등의 사교육 용어가 엄마들의 최고 관심사로 떠오릅니다.

그러나 역사 공부는 굳이 사교육을 통해 급하게 시작할 필요가 없습니다. 역사는 다른 영역에 비해 집에서 공부할 수 있는 책, 영상자료들이 충분하기 때문입니다. 역사에 관한 우리 국민의 높은 관심을 반영한 훈훈한 결과이지요. 중학년 정도부터 흥미로운 주제의 역사 다큐, 역사 강의, 역사 학습만화 등을 활용하여 조금씩 노출해주는 것으로도 6학년을 대비한 역사 공부로 충분합니다. 교육에 관한 보물 같은 정보를 담은 교재들은 시중에 셀 수 없이 많으며, 성공적인 학습 여부는 누가 더 꾸준히 적극적으로 활용하느냐에 달려 있을 뿐입니다.

역사 관련 과목 중에서 역사토론은 가정에서 진행하기 어려운 과목 중 하나입니다. 아이가 역사에 관심이 많아 별도의 수업을 희망하고 시간적 여유가 있다면 시도해보는 것도 좋은 경험이 됩니다. 하지만 안타깝게도 아이가 관심은 있지만 마땅한 수업을 찾기 어렵고 시간이 부족하다면 책, 영상 등의 자료를 활용하여 다양한 역사 관련 지식을 쌓아나가는 것으로도 크게 부족함이 없습니다. 가정 안에서 역사적 사실에 관한 생각을 이야기해보는 기회를 만들어보는 것도 훌륭한 대안이 될 수 있습니다. 체계적이고 전문적이지 않다고 해서 의미가 없는 게 아닙니다. 부모는 내 아이의 가장 훌륭한 토론 상대입니다.

고학년을 중심으로 관련 단체에서 운영하는 초등역사체험, 박물관견학 등의 프로그램이 확산되고 있습니다. 그러나 원치 않는 아이를 떠밀어 보내야 하는 필수과정이 아니니 크게 부담 갖지 마세요. 어린 동생이 있거나 시간적 여유가 부족하여 가족과의 견학, 체험이 어려운 상황이라면 참여해보는 것도 현명한 대안입니다. 하지만 박물관 역사체험마다 부모님께 등 떠밀려 참여했다가 설명은 듣지 않고 내내 장난만 치다 오는 아이들도 상당수 있으니 아이의 관심도, 의욕, 성향 등을 충분히 고려하여 결정하는 것이 좋습니다.

한국사능력검정시험에 도전하는 초등학생들이 점점 많아지고 있습니다. 교재나 기출문제를 보면 놀랄 만큼 방대하고 깊이 있는 내용이 담겨 있어 도전하고 열매를 맺는 일이 만만치 않습니다. 자격증 시험을 위해 공부했던 아이들은 교실에서 당연히 역사 파트에 강한 모습을 보이는데요. 아이가 역사에 관심이 많고 자격시험에 대한 승부욕이 있다면 관심을 가지고 도전해보는 것도 유익할 것입니다. 결과도 의미가 있겠지만 어려운 시험을 위해 노력하고 성취하는 것은 성장기의 소중한 경험이 될 수 있기 때문입니다.

반면에 그런 성향의 아이가 아님에도 6학년 사회 교과를 염두에 두고 무리하게 진행할 만한 자격시험은 아니라는 것도 기억해주세요. 부모의 욕심으로 반강제로 시작된 시험을 위해 교재를 달달 외우고 있는 아이들의 모습이 안쓰러울 때가 많았습니다. 이 시험이 아니어도 해야 할 공부는 많고, 아이가 기꺼이 도전해보고 싶은 시험은 앞으로 얼마든지 만나게 될 테니 무리하게 뛰다가 넘어지지 않기를 진심으로 바랍니다.

06

[과학]
교과서보다 훌륭한 교재는 없습니다

교과서 | 단원평가

.... 과학 역시 1, 2학년 때 통합 교과에 편성되었다가 3학년에 처음 접하는 과목입니다. 같은 시기에 교과로 처음 접하게 되는 사회보다 과학을 좋아하는 아이들이 훨씬 많습니다. 이유는 과학의 거의 모든 단원마다 빠지지 않는 실험 때문인데요. 과학실험을 하기 위해 과학실에 모여 앉은 아이들은 체육 시간만큼이나 설레는 표정을 숨기지 못합니다.

국어, 수학 수업에서는 여간하여 집중하기 힘들어하고 자신 없어하던 아이들도 과학만큼은 '내 영역'이라고 생각하며 열심입니다.

학습만화가 인기를 더하면서 과학 관련 학습만화를 통해 우주, 미생물, 날씨, 인공지능 등과 같은 주제에 배경지식을 쌓고 흥미를 느꼈던 경험도 영향을 미치고 있습니다.

과학실험에서 아이에게 이런 모습이 보인다면 그 순간을 놓치지 말고 전반적인 학교생활, 공부, 성적 등에 자신감을 얻는 기회로 활용해보세요. 학교생활 전반에 관한 아이의 느낌은 의외로 단순합니다. '오늘 과학실험이 정말 재미있었다', '잘 아는 내용이 과학 시간에 나와서 쉽게 느껴졌다' 등의 소소하고 단순한 이유로 학교가 즐겁고 가고 싶은 곳이 된답니다.

반면 과학에 흥미를 붙이지 못하는 아이들이 있을 수 있는데요. 그렇다고 해서 관련 전집을 강요하거나 교과와 관련된 수업을 추가하는 것은 역효과가 있을 수 있습니다. 아이가 모든 과목에 똑같은 흥미와 소질을 보이는 건 불가능하며 비정상입니다. 흥미는 없지만 수업에 성실히 참여하고 크게 어려워하지 않는다면 굳이 지금 욕심내어 시킬 필요 없는 과목임을 기억해주세요.

초등 과학 교육과정

학년	1학기	2학기
3	1. 과학자는 어떻게 탐구할까요?	1. 재미있는 나의 탐구
	2. 물질의 성질	2. 동물의 생활
	3. 동물의 한살이	3. 지표의 변화
	4. 자석의 이용	4. 물질의 상태
	5. 지구의 모습	5. 소리의 성질
4	1. 과학자처럼 탐구해볼까요?	1. 식물의 생활
	2. 지층과 화석	2. 물의 상태 변화
	3. 식물의 한살이	3. 그림자와 거울
	4. 물체의 무게	4. 화산과 지진
	5. 혼합물의 분리	5. 물의 여행
5	1. 과학자는 어떻게 탐구할까요?	1. 재미있는 나의 탐구
	2. 온도와 열	2. 생물과 환경
	3. 태양계와 별	3. 날씨와 우리 생활
	4. 용해와 용액	4. 물체의 운동
	5. 다양한 생물과 우리 생활	5. 산과 염기
6	1. 과학자처럼 탐구해볼까요?	1. 전기의 이용
	2. 지구와 달의 운동	2. 계절의 변화
	3. 여러 가지 기체	3. 연소와 소화
	4. 식물의 구조와 기능	4. 우리 몸의 구조와 기능
	5. 빛과 렌즈	5. 에너지와 생활

※출처: 2015 개정교육과정 의거 과학과 전 학년 단원별 목차, 2019년 기준

교과서

동물, 날씨, 우주, 자석 등의 흥미로운 주제로 구성된 과학 교과서

는 단원별 개념 위주로 정리되어 있으며, 관련한 재미있는 읽을거리와 참고사진이 곳곳에 배치되어 있습니다. 과학 교과에는 보조 교과서인 <실험 관찰> 책이 포함되어 있는데, 제목처럼 실험하고 관찰한 내용을 정리하고 느낀 점, 배운 점 등을 정리하는 워크북 형식의 교재입니다. 실험, 관찰에 따른 수치뿐만 아니라 이를 바탕으로 도출해낸 결론, 사실을 바탕으로 한 추측, 예상, 가설 등을 직접 정리해서 적어야 하므로 이 과정은 자연스러운 서술형 평가의 연습이 됩니다.

실제 <실험 관찰>의 일부 문항이 그대로 서술형 평가에 제출되는 경우도 흔합니다. 수업 시간에 잘 듣고 적극적으로 참여하는 것이 성적에 영향을 미칠 수밖에 없는 구조입니다. 과학 과목 역시 교과서를 활용한 복습을 계획하고 있다면 <과학>, <실험 관찰> 두 권 모두가 필요합니다. <과학> 책을 통해서는 주요 개념을 확인하고, <실험 관찰> 책을 이용해서는 개념을 활용한 서술형 문제를 연습해 볼 수 있습니다. 실험을 통해 알게 된 사실을 정리하여 서술하는 문제들이 거의 매 차시 등장하고 있어, 세상에 이렇게 훌륭한 교재가 없답니다.

단원평가

앞서 말씀드린 대로 <실험 관찰> 책의 문항이 유사하게 단원평가의 서술형 문항으로 출제되는 경우가 대부분이기 때문에 평소 수업 시간에 충실했다면 어려움 없이 풀 수 있습니다. 따라서 아이가 정리, 암기를 어려워한다면 별도의 문제집보다는 교과서 복습이 시험을 대비하기에 훨씬 유용합니다.

단원평가를 채점하다 보면 안타까운 경우가 종종 있습니다. 평소 수업 태도가 바르고 평가 준비가 성실하며 정확한 결론을 도출한 답안을 냈지만 도저히 알아볼 수 없는 글씨로 답안을 작성해놓은 경우입니다. 초등 평가에서 글씨체 때문에 감점을 받는 일은 없지만, 때로 글씨를 도저히 알아볼 수 없어서 점수를 주지 못하는 경우가 있습니다. 암호를 해독하는 것처럼 애를 써가며 글자들을 꿰어보아도 도저히 문장의 의미를 이해하기 어려운데 맞혔다고 할 수는 없습니다. 내용은 엉터리이면서 글씨만 예쁜 답안과 결과적으로 같은 점수를 받게 될 수 있습니다.

아이의 글씨 때문에 고민한 적이 있다면 '조금 더 천천히' 쓰는 습관부터 잡아주세요. 교실에서 보면 빨리, 급하게, 먼저, 대충 쓰느라 글씨체가 망가져 버린 아이들이 많습니다. 초등 시절에는 얼마든지 글씨를 교정할 여지가 있으니 글씨를 잘 썼을 때는 풍성한 칭찬으로 성장할 기회를 주세요.

과학 교과에서 우리 아이들이 풀게 될 서술형 평가의 문항은 다음의 형식입니다. 생각보다 어려워 보이죠? 교과서에 모든 답이 나와 있고, <실험 관찰>에서 그대로 풀어보았던 문제입니다. 좋은 성적을 위해 무언가를 추가하여 공부시키는 것보다 교과서와 수업 시간에 충실한 것이 가장 중요함을 말해주고 있습니다. 평소의 단단한 복습 습관이면 겁낼 게 없습니다.

[3학년 1학기] 4단원 자석의 이용

* 필통에 자석을 이용해서 편리한 점은 무엇인지 서술하시오.

[4학년 1학기] 2단원 지층과 화석

* 이암, 역암, 사암의 특징을 각각 서술하시오.

[5학년 1학기] 3단원 태양계와 별

★ 북극성이 다른 별들과 구별되는 특징을 서술하시오.

[6학년 1학기] 4단원 식물의 구조와 기능

★ 뿌리털은 식물의 어느 부분에 어떤 모양으로 있으며, 그 역할은 무엇인지 설명하시오.

07

사교육 위주 과목 살펴보기

한자 | 운동 | 악기 | 제2외국어

꼭 해야 할까 싶으면서도 안 하긴 아쉽고 불안한 학습 및 예체능 과목들을 살펴볼게요. 이제까지 다룬 과목들이 학습의 중심이 되는 기본 학습 과목이었다면, 이제부터 살펴볼 것은 사교육 위주 과목입니다. 사교육 과목을 선택할 때의 기준은 언제나 '아이가 원하는가', '이 과목을 집에서 해볼 방법은 정말 없을까'입니다.

뭐든 배워두면 좋은 거라는 부모의 성화에 떠밀려 울며 겨자 먹기로 학원에 다니느라 피곤하고, 학원을 오가느라 길에서 버린 시간 때문에 하루 30분의 독서도 힘겨운 아이들의 모습을 생각해보세요. 오가며 버리는 시간 없이 알짜배기 10분이라도 매일 꾸준히 해보겠다는 마음으로 한 과목씩 시작해보세요.

한자

초등 시기에 한자 공부를 챙겨두면 학습에 유리할 것이라는 인식이 퍼지면서 '유아한자', '초등한자'가 조기교육의 주요 과목으로 자리잡아가고 있습니다. 한자는 한 글자, 한 글자 외워야 하는 상형문자이기 때문에 초등 입학 전부터 학습지 등으로 시작한다 하더라도 꾸준히 하지 않으면 이내 잊히기 쉽습니다. 그래서 입학 전에 똘똘하게 한자를 읽어내던 아이들이 초등학생이 되어 한자를 본격적으로 시작해보려 하면 그전에는 줄줄 읽던 글자를 거의 기억하지 못하기도 합니다.

어릴 때 배워두면 당연히 좋지만 막연한 불안감에 떠밀려 시작할 필요는 없는 것이 한자입니다. 한자를 많이 아는 것은 당연히 국어 어휘력에 도움이 되지만, 한자를 잘 모른다고 해서 국어 어휘에 특별한 어려움이 생기는 것은 아닙니다. 국어 어휘력은 한자를 잘 모르는 아이들도 얼마든지 폭넓게 실력을 쌓아갈 수 있는 영역이므로 괜한 불안감에 한자 공부를 서두를 필요는 없습니다.

요즘은 학교에서 한자 인증제를 시행하는 경우가 많습니다. 학년별로 인증평가를 위해 제시하고 있는 한자만 꾸준히 챙겨도 쌓이면 무시 못 할 수준이 됩니다. 한자인증제는 6년간 매년 50개 정도의 필수한자를 외우고 인증평가를 보는 제도인데요. 이 시험에 통과할 정도의 실력을 쌓는 것이 여타의 추가적인 사교육보다 가성비 높으면서도 시간을 절약하는 방법입니다.

한자에 관심이 많고 암기력이 뛰어난 아이들은 한자급수시험에 도전하기도 합니다. 현재 우리나라에서는 한국어문회, 한자교육진흥회, 대한상공회의소 등의 기관에서 한자급수시험을 주관하고 있고, 시험의 난이도, 시기, 급수 등이 약간씩 차이가 있습니다. 시험장에 가보면 어린 친구들이 꽤 높은 급수에 도전하는 모습도 종종 볼 수 있는데요, 아이가 원한다면 성취감과 자신감을 얻어낼 수 있는 더없이 훌륭한 도전이 됩니다. 하지만 관심 없는 아이에게 굳이 강요할 필요는 전혀 없는 시험이고요.

운동

초등 시절의 운동이 중요한 이유는 성장과 직결되어 있기 때문입니다. 이 시기에 다져진 체력은 평생 건강의 바탕이 됩니다. 아이들은 초등학교에 입학하면서 축구, 생활체육, 발레, 리듬체조, 요가, 필라테스, 줄넘기, 태권도, 인라인스케이트, 수영, 배드민턴, 농구, 스케이트, 스키 등의 다양한 운동을 선택적으로 경험하게 됩니다. 이 중 어떤 운동을 꾸준히 지속하고, 어떤 운동을 마무리할지가 부모의 고민입니다.

중, 저학년 때 다양한 종류의 운동을 경험해보는 것은 평생의 운동 습관을 만드는 중요한 계기가 되기도 합니다. 초등 시기에 경험해보았던 운동 중에서 가장 자신 있고 재미있는 한두 가지가 결국 성인이 되어서까지 이어지는 경우가 많거든요.

그러나 다양한 운동을 경험시키려면 경제적인 부담이 만만치 않은 것이 사실입니다. 그래서 가능한 과목들은 학교의 방과후 학교 수업을 적극 활용하는 것을 추천합니다. 저렴하고 부담 없는 수업으로 시작해보고, 그중 아이가 고학년까지도 꾸준히 이어서 할 만한 운동 한두 가지가 추려지면 자연스레 운동 관련 사교육은 정리됩니다. 또, 사교육의 도움을 받지 않아도 가능한 운동도 있습니다. 적당한 등산, 달리기, 산책도 체력을 관리하고 성장을 돕는 훌륭한 운동입니다.

악기

1, 2학년 시기에 피아노 학원에 다니는 것은 3학년부터 시작되는 음악 수업에 분명 도움이 됩니다. 음악 교육과정은 다양한 곡을 기본으로 하고 있습니다. 음악 교과서는 매 차시 악보가 제시되고 있으며, 이와 관련된 활동을 해보는 형식으로 구성되어 있습니다. 따라서 악보를 보고 계이름으로 읽는 방법을 배울 때 피아노 학원에 다녔던 경험은 큰 도움이 됩니다.

또한, 학교에서 운영하는 '1인 1악기 제도' 역시 악보의 계이름을 읽을 수 있으면 유리하기 때문에 피아노 학원에 다니는 아이들이 다른 아이들보다 훨씬 자신 있게 참여하는 모습을 볼 수 있습니다. 하지만 학교수업에서도 계이름을 배울 기회가 있으므로 힘들어하는 아이를 억지로 피아노 학원으로 등 떠밀 필요는 없습니다.

기본이 되는 피아노를 배우고 나면 음악에 소질과 흥미를 보이는 아이들은 자연스럽게 바이올린, 첼로, 우쿠렐레, 리코더, 기타, 드럼, 플룻 등의 새로운 악기를 접하기도 합니다. 아이가 평생 음악과 악기 연주를 취미로 삼기 원하는 부모의 바람이 반영된 결과이기도 합니다. 그러나 어디까지나 선택 사항입니다. 악기 수업은 시간적 여유가 있는 중, 저학년까지는 유지하다가 고학년이 되면 점차 정리되는 대표적인 사교육입니다. 아이의 의견이 반영되었는지, 시간적 여유가 있는지를 정리의 기준으로 삼고 점검하시길 권합니다.

제2외국어

초등학생들이 가장 많이 배우는 제2외국어는 중국어입니다. 이미 유치원 때부터 중국어를 접하는 아이들이 있을 만큼 대중화되고 있는 추세입니다. 중국어도 자연스럽게 노출하고 꾸준히 학습하면 좋겠지만, 영어와 다르게 초등 필수과목으로 생각하지 않아도 괜찮습니다. 중학교에 진학했을 때 중국어를 제2외국어로 선택할 수도 있지만 그렇지 않을 수도 있기 때문에 중학교 성적을 염두에 두고 무리하게 시간을 배정할 필요는 없습니다.

아이가 새로운 언어에 흥미가 있어 배우기를 원한다면 방과후 학교 프로그램, 학습지 정도로 꾸준히 진행하면 충분합니다. 독서 할 여유 시간을 빼거나 학원 스케쥴을 빡빡하게 만들면서까지 추가할 과목은 아닙니다. 초등학생이 도전해볼 만한 중국어, 일본어의 주니어 과정 급수 시험이 있으니 꾸준히 공부하는 아이라면 자격증에 도전해보는 것도 좋은 방법입니다.

08

과목별 가장 효과적인 공부 방법은?

교과서 | 문제집 | 학습지 | 학원

아이도 원하고 필요하기도 해서 시작해보기로 결심은 했는데, 교과서를 가지고 엄마표로 할지, 학습지를 신청해야 할지, 문제집을 사서 풀려야 할지, 학원에 보내야 할지가 또 고민입니다. 모든 아이에게 똑같이 적용되는 정답이 없으므로 부모는 다양하고 복잡하게 고민하게 됩니다.

예체능 등의 전문적인 영역에 관해서는 사교육이 필요하지만, 학습에 관해서는 되도록 부모가 주도하여 습관을 잡아보세요. 다만 부모님 중 한 분이 집에서 아이와 함께 시간을 보낼 여유가 있어야만 가능한 방법이다 보니 모두가 할 수 있는 건 아닙니다. 퇴근이 늦은 맞벌이 부모가 주변 도움 없이 초등 저학년 아이의 공부 습관을 만들어야 하는 경우, 공부를 이끌어줄 엄마나 아빠가 몸이나 마음이 일시적으로 건강하지 못한 경우, 어린 동생들 때문에 집에서 집중하기 힘들어 오히려 스트레스를 받는 경우는 학원 같은 사교육의 도움이 필요합니다. 이와 비슷한 상황에서는 적절한 사교육이 빛을 발합니다. 이 경우 아이가 자라고, 부모가 건강을 되찾고, 어린 동생들이 커가면 언제든 다시 집 공부를 시작할 수 있다는 마음으로 사교육에 대한 막연한 죄책감, 거부감에서 벗어났으면 합니다.

제가 걱정하는 건 무턱대고 '우리 아이 성적 올려주세요'라며 사교육에 의지하는 모습입니다. 저 역시 바쁘고 힘에 부쳤을 때 사교육의 도움으로 공부 슬럼프를 이겨낸 경험이 있습니다. 엄마표는 공부를 시작하고 틀을 잡기 위한 가장 기본이 되는 방법일 뿐, 모든 상황에서의 최선은 아닙니다. 모든 과목을 반드시 부모님과 집에 앉아서 해야 하는 것이 매일 공부의 의미가 아니란 것, 잘 아시죠?

아이의 성향과 부모님의 상황, 가족 전체의 상황에 맞게 적절히 사교육을 활용하되 거기에 끌려가지 않기를 바랍니다. 부모가 주도권을 잡고 아이에게 가장 적절한 방법으로 엄마표와 사교육을 적재적소에 배치하여 가성비 만점, 아이도 부모도 만족스러운 초등 공부를 계획하길 바랍니다. 어떤 무기를 가지고 최상의 효과를 이끌어

내어 볼까에 관해 함께 고민해보겠습니다. 지혜로운 선택을 하기 위해서는 정확히 알아야 할 것들이 있습니다.

교과서

초등 공부의 명확한 기준, 기본이 되어야 할 것은 당연히 학교 진도입니다. 학교 진도부터 제대로 챙기고 나서 돈과 시간 여유가 있을 때 관련된 과목을 하나씩 시도해본다는 기본 원칙이 중요합니다. 사고력 수학 문제를 잘 풀고 선행 진도가 팍팍 나가고 있어도 지금 학교 공부에 구멍이 나면 아무 소용이 없습니다. 학교에서 배우고 있는 수업 내용을 잘 따라가고 있는지 확인하는 것, 다시 말해 학교 진도 복습은 매일 공부의 기본입니다.

학원에 다니고 문제집을 푸는 이유는 아이가 교과 진도를 잘 따라가고 있는지 확인하기 위해서인데요, 이때 문제집보다 먼저 교과서를 적극 활용해보세요. 제가 공교육에 몸담았었기 때문에 국정교과서를 무조건 편드는 게 아니라 아무리 봐도 이만한 문제집이 없기 때문입니다. 교과서는 국가 교육과정을 총괄하는 교육부 주관하에 실력이 검증된 교수님과 현직 교사들이 과목별로 팀을 꾸려 오랜 시간 연구하여 제작한 훌륭한 교재입니다. 수업 시간에만 사용하고 덮

어버리기엔 아까운 책이지요.

제가 학교에 근무하면서 틈만 나면 했던 탄식이 있는데, '교과서가 지나치게 좋다. 이렇게 좋은 책이 아이들 연필을 스치기만 하고 버려지는 게 너무 아깝다.'였습니다. 교과서는 내용도 좋고 종이질도 좋고 양도 두둑하고 심지어 삽화, 디자인, 참고사진까지도 동급 최강입니다. 교과서의 내용이 부실하거나 아이가 흥미를 갖기 어려운 조잡한 편집과 제본이라면 돈이 더 들더라도 시중 문제집을 활용하라고 권하겠지만, 대한민국 교과서 수준이면 그 이상 훌륭한 복습용 교재는 없습니다. 단순 복습은 무조건 교과서라는 걸 공식처럼 기억하셨으면 합니다. 교과서에 나온 지문을 이해하고 관련 문제를 해결하고 개념을 설명하는 것이 복습의 기본입니다. 이것이 선행되지 않은 상태에서 추가 문제집을 푸는 것은 그저 모래 위에 집 짓기입니다. 교과서 복습을 기본으로 생각하고, 이후 심화, 사고력, 독해, 창의력, 선행 등의 과정이 필요할 때 문제집과 학원의 도움을 받는 식으로 그림을 그려보세요.

교과서는 가성비도 훌륭합니다. 우리나라 부모들은 아이 교육에 드는 돈은 아무리 비싸도 꼭 써야 한다고 생각하는데 이제 교육에도 가성비를 따지세요. 더 훌륭한 교재를 더 저렴하게 구입하고 아낀 돈으로 떡 사드세요. 학교 사물함에 두고 쓰는 교과서를 복습을 위해 매일 가지고 오게 하기보다는 가정에서 사용할 교과서를 <국어>,

<수학익힘책>, <사회>, <과학>, <실험 관찰> 이렇게 다섯 권 추가로 구입하여 활용해보세요.

문제집

배운 내용을 잘 이해하고 있는지를 확인하기 위해서는 교과서와 배움공책이 최고지만, 조금 더 어려운 수준의 문제에 도전하면서 성취감을 느끼는 아이라면 문제집이 매우 효과적인 무기가 될 수 있습니다.

학원에 다니고 있어 교재가 지정된 과목은 그 교재를 충분히 활용하세요. 때마다 한 번씩 학원에 내는 교재비도 만만치가 않은데 이왕 구입한 책이니 아깝지 않게 잘 활용하는게 가성비 최고입니다. 시중의 무수한 문제집 중 학원 선생님들의 선택을 받은 것이니 어느 정도의 수준, 내용이 보장되었다고 생각해도 좋습니다. 기본적인 복습은 교과서로, 이후의 심화, 독해, 사고력, 선행 등의 추가 영역에 관한 교재는 시중의 문제집을 활용한다는 큰 원칙을 세우고 선택하면 덜 고민되실 거예요.

자, 그럼 문제집을 풀기로 결심했는데 문제집은 도대체 어떤 기준으로 골라야 할까요? 학부모님과 상담을 하다 보면 어느 출판사의 문제집이 좋은지 콕 찍어 알려달라는 분들도 종종 계십니다. 그만큼 다양한 문제집들 사이에서 선택이 어려웠다는 뜻이겠죠. 결론부터 말씀드리자면 시중의 문제집 중 내용 면에서 월등하게 우수하거나 수준 이하인 것은 거의 없습니다. 제가 모든 문제집을 다 살펴보지 않았기 때문에 '거의'라는 단어를 쓴 것일 뿐, 문제집은 대부분 큰 차이 없이 잘 만들어져 있습니다. 중요한 건, 어느 출판사에서 나온 문제집을 푸느냐가 아니라 그 문제집을 얼마나 빠짐없이 알뜰하게 잘 활용하느냐는 것입니다.

아무리 좋다는 문제집을 사주어도 요리조리 빠져나가며 풀지 않는 아이를 보는 건 괴로운 일입니다. 열심히 고르고 정보를 검색하고 여기저기 물어봐서 골라온 건데 한번 슬쩍 펴보고는 관심도 없는 아이를 보며 속상했던 적 있으시죠?

그래서 문제집을 선택하는 기준은 정말 단순합니다. 아이가 풀 문제집은 아이가 선택하도록 하는 겁니다. 여기서 선택권을 주라는 것은 '어떤 출판사에서 나온 것을 고를 건지'이고요, 그 전에 부모님이 먼저 연산 중에서 어떤 분야를 좀 더 시켜야 할지, 아이의 현재 레벨을 어느 정도로 잡고 영어독해 문제집을 선택해야 할지를 고민해야 합니다. 그렇게 사야 할 문제집의 종류와 레벨이 결정되었다면 비슷한 수준과 주제를 가진 문제집 중에서 아이가 풀고 싶어하는 책을 선택하게 하면 됩니다. 선택권을 주라는 말을 오해하여 덧셈에 능숙한 아이가 덧셈만 나오는 연산 문제집을 고르게 하거나 자신의 레벨과 맞지 않는 독해 문제집을 고르도록 해서는 안 됩니다.

자기 마음에 쏙 드는 디자인, 표지, 색깔의 문제집을 골라온 아이는 당장 풀어보고 싶다며 들뜰 거예요. 그러나 그런 마음이 며칠 못 가는 이유는 아무리 풀어도 쉽게 끝나지 않아 지겨워져 버리기 때문인데요, 이를 막기 위해서는 되도록 얇은 문제집을 선택하는 것이 좋습니다. 한 권이라도 처음부터 끝까지 풀어내는 성취감을 경험해 보는 것이 중요합니다. 매일 꾸준히 풀었을 때 한두 달 안에 다 풀어낼 수 있는 정도의 분량이 적당합니다. 문제집 한 권이 끝날 때마다 작지만 아이가 바라던 보상을 선물하고 새로운 문제집을 사러 서점으로 나가보세요. 또 어떤 문제집을 풀어서 어떤 선물을 받아볼까, 새로운 책을 고르는 아이의 눈이 반짝일 거예요.

다 풀어낸 문제집은 버리지 말고 잘 모아두어 아이가 언제든 다시 펴보며 자신의 성취를 확인할 수 있게 해주세요. 이렇게 일 년 치의 문제집이 모이면 그것들을 탑처럼 높이 쌓아놓고 가족이 다 같이 모여 칭찬하고 기념하면 아이에게 잊지 못할 좋은 추억이 된답니다.

학습지

한글을 떼기 위해 5, 6세에 시작한 학습지를 고학년까지도 계속하는 경우가 있습니다. 부모가 아이의 공부를 관리하기 어려운 상황인데 그렇다고 모든 과목을 학원에 보내기 어렵다면 학습지처럼 훌륭한 대안이 없겠지요. 비용이 저렴하여 부담 없이 시작할 수 있다 보니 많은 아이들의 첫 사교육으로 학습지가 선택됩니다.

하지만 아무리 비용이 저렴하다 하더라도 제대로 활용하지 못하면 시간과 돈이 낭비되는 것은 마찬가지입니다. 한 달, 한 과목으로 생각하면 몇만 원밖에 되지 않으며 일주일에 한 번, 30분 정도의 시간으로 관리받을 수 있어 가성비가 높아 보이지만, 과목이 늘어나고 일 년 동안 꾸준히 진행한다고 생각하면 결코 적은 돈, 적은 시간이 아닙니다. 주로 시키기도, 안 시키기도 애매한 과목들을 '안 하는 것보다 낫겠지'라는 마음으로 시작하고 쉽게 중단하지 못하는 경우가 많은데, 학습지를 시작했다면 어떤 부분을 신경 써야 하는지 생각해 보겠습니다.

잘 훈련된 초등 고학년 아이가 아니라면 아이 스스로 공부 계획을 세워 꾸준히 하기란 현실적으로 쉽지 않습니다. 그래서 매주 선생님이 방문하여 진도를 체크해주는 학습지는 저학년 아이들의 공부 습관을 잡는 데 효과적입니다. 특별히 약하다고 생각되는 과목,

문제집을 꾸준히 풀지 못하고 번번이 실패하여 좌절 경험이 반복되는 과목, 중국어처럼 부모에게 생소한 과목의 경우에는 학습지 선생님과의 수업으로 흥미를 붙여보는 것도 좋습니다. 엄마와 공부할 땐 반항하고 게으름 부리던 아이가 잘 맞는 학습지 선생님을 만나 공부에 재미를 붙이는 경우를 본 적 있으실 거예요.

이왕 학습지를 시작했다면 제대로 활용하세요. 일주일에 한 번 있는 수업 전날, 일주일 치의 밀린 학습지를 해결하느라 늦도록 잠을 자지 못하는 일이 반복되고 있다면, 효과를 기대하지 마세요. 학습지는 '매일, 꾸준히' 했을 때 효과를 기대할 수 있습니다. 그래서 혼자 할 수 없으니 비용을 지불하고 꾸준히 했는지를 점검받는 것인데 점검을 위한 벼락치기 숙제가 되어서는 안 됩니다.

수업 전날은 아이도 엄마도 마음이 바쁩니다. 오늘 학습지 선생님 오시는 날이라면서 쉬는 시간에 눈에 불을 켜고 밀린 연산 문제를 푸는 아이들의 모습을 교실에서 종종 볼 수 있습니다. 꾸준히 매일 공부하는 습관이 아니라, 단숨에 일주일 치를 해치우는 좋지 않은 습관을 돈 주고 배우고 있는 겁니다. 처음 한두 번일 때는 불안해하며 죄책감을 갖지만, 이 생활이 몇 개월, 몇 년이 되면 수업 전날 일주일 치의 분량을 해치우는 게 당연하게 느껴져 엄마도 아이도 그러려니 하게 됩니다. 그렇게 수동적으로 끌려다니는 학습지는 정말 그만하세요. 그 돈으로 빵 사드세요.

"학습지 언제까지 해야 하나요?"라는 질문을 많이 받습니다. 유지하고는 있으나 큰 효과를 모르겠고, 그만두려니 불안하기 때문입니다. 그만두고 나면 당장 어떻게 공부시켜야 하나 막막한 마음에 얼마 안 있어 학원에 등록하거나 다시 학습지를 찾다 공부 습관을 포기해버리는 경우도 많습니다.

학습지에 의존하지 말고 학습지를 활용하세요. 공부 습관이 잡히지 않은 시기에는 잔소리하는 엄마보다 친절하게 칭찬해주시는 학습지 선생님이 좋을 수 있습니다. 선생님과의 즐거운 수업으로 매일 공부 습관이 자리잡히도록 활용하세요.

6개월, 혹은 1년 정도로 기간을 잡고 시작하면 훨씬 의욕적이 됩니다. 목표 했던 기간에는 학습지를 활용하여 매일 규칙적으로 공부하고 선생님께 점검받고 칭찬받게 하세요. 공부 습관이 어느 정도 자리를 잡았다면 과감하게 끊고 스스로 공부할 수 있도록 해야 합니다. 수영을 마스터한 아이에게 더 이상 키판이 필요 없는 것처럼 말이에요.

6학년이 되어서도 학습지가 아니면 공부하지 않으려 하고 학습지 선생님께서 내주시는 분량만큼만 하면 그만이라 생각하며 학습지에 끌려다니는 아이들이 있어요. 얼마 동안 할 건지, 이후에는 어떻게 공부를 할 건지에 대해 아이와 함께 세운 계획이 필요합니다. 학습지 선생님과 하는 공부가 이제 시작될 자기주도학습의 연습, 훈련 기간임을 알도록 하는 것이 중요합니다.

최근 초등 전 과목을 온라인 사이트로 관리 받으며 학습할 수 있게 제작된 패드 형태의 온라인 학습지가 열풍입니다. 아이들의 마음을 사로잡을 만한 재미있는 구성과 학습에 따른 보상으로 인기를 더해가고 있습니다. 문제집, 종이 학습지에 식상해져 공부 습관이 흐트러지고 있다면 1년 정도의 기간을 목표로 온라인 학습지를 진행하는 것도 좋겠습니다.

하지만 매달 이용료가 웬만한 한 달 학원비와 맞먹을 만큼 높아서 아무리 전 과목을 학습할 수 있다 하더라도 제대로 활용하지 못하면 가성비가 떨어집니다. 온라인 학습사이트의 대표적인 장점은 일주일 무료 체험이 가능하다는 것과 전용 학습기기를 활용하여 공부에 관한 흥미를 이끌어낼 수 있다는 점입니다. 뭐든 시켜야 할 것 같아서 덜컥 신청했다가 방치되지 않도록 꼭 일주일 무료 체험을 해본 후 아이가 흥미와 의지를 보인다면 신청하세요.

패드로 전 과목 공부를 진행하더라도 글쓰기, 수학 문제 풀기 등에서는 직접 손으로 써보는 공부가 매우 중요하므로 이런 면에서 아무래도 부족할 수밖에 없다는 점을 신경 써야 합니다. 직접 공책 위에 연필을 움직이는 수고가 동반되어야 하는 연산 훈련, 일기 쓰기, 영어 글쓰기 등의 과목들은 놓치지 말고 따로 관리해주세요.

학원

학원은 참 고마운 곳입니다. 맞벌이 부부에겐 아이가 방과후에 안전하게 시간을 보낼 수 있게 해주는 곳이며, 직접 가르칠 수 없는 예체능 과목을 재미있게 가르쳐주고, 주요 과목의 선행학습과 그룹 수업도 가능하게 합니다.

초등학생 때부터 학원에 시달리느라 힘들어하는 아이들을 보면 안타까운 노릇이지만, 학원이라는 곳이 있다는 건 분명 여건이 충분치 않은 부모에게 큰 도움과 위로가 됩니다. 저도 복직하면서 애매한 오후 시간 때문에 고민하다가 아이를 수학 학원에 보낸 적이 있습니다. 덕분에 아이가 빈집에서 혼자 보내는 시간을 줄일 수 있었고, 잘 만난 원장님 덕분에 공부 방법을 제대로 배워오는 긍정적인 면이 있었습니다. 물론 학원 생활에 익숙지 않았던 아이라 적응하는 동안 고생을 하긴 했지만요.

학원은 신중하게 선택하고 자주 옮기지 않았으면 합니다. 석 달 동안 네 군데의 학원을 거쳐 간 아이를 교실에서 본 적이 있습니다. 무엇이 그토록 마음에 들지 않았고, 무엇이 새로운 학원을 결정하는 기준이었는지 지금도 궁금합니다. 열심히 시키는 엄마였으니 어련히 알아서 결정했겠지 싶으면서도 그런 엄마의 손에 이끌려 툭하면 새로운 학원에 적응하느라 고생하던 아이의 모습이 지금도 생각납니다.

공부방 형태의 작은 교습소들은 그렇지 않지만, 대부분 학원은 등록할 때 레벨테스트를 봅니다. 그런데 이 레벨테스트 문항과 형식이 학원마다 지나치게 다양한 이유로 같은 날 보는 테스트임에도 결과가 같지 않습니다. 아이마다 과목별로 자신 있고 없는 영역이 다르므로 테스트의 문항, 점수 배정 방식에 따라 결과는 달라질 수밖에 없습니다. 그런데도 대다수 학부모가 절대적이고 객관적이라고 볼 수 없는 테스트 결과에 웃고 울며 학원을 선택하는 게 현실입니다.

학원을 선택하는 부모만의 기준을 세우는 가장 좋은 방법은 여러 학원에 발품을 팔며 상담을 다녀보는 것인데 현실적으로 쉽지 않기 때문에 아무래도 주변의 추천, 홍보에 의존하게 됩니다. 그래서 학원을 선택할 때는 '이 학원을 보내는 목적이 무엇인가'를 반드시 고민해보았으면 합니다. 학습의 부담 없이 편안한 공간에서 오후 시간을 보내는 것이 목적일 수 있고, 부족한 학교 공부를 보충하는 게 목적일 수 있고, 선행을 위한 진도 빼기가 목적일 수도 있습니다.

영어 공부의 목적은 조금 더 구체적으로 생각해봐야 합니다. 영어 독서를 늘리기 위함인지, 일상 회화가 자유롭기를 원함인지, 영어 에세이 쓰는 법을 연습하고 싶은 건지, 또래와 소규모 토론 수업을 받고 싶은 건지 등 지금 아이에게 필요한 영역에 대한 목적이 뚜렷해야 합니다. 듣기는 잘하는데 독서가 약한 아이라면 그 부분을 중점으로 봐줄 수 있는 학원을 찾아야 하고, 다 잘하는데 쓰기를 힘들어한다면 그 부분에 특화된 과정을 운영하는 학원을 선택해야 합니다. 목적 없이 주변 말만 듣고 선택했다가는 학원을 오가면서 많은 시간을 보낸 만큼의 효과는 보지 못하고 학원에 가지 않겠다는 아이와 싸움만 하게 됩니다.

좀 고생스럽고 힘들어도 아이에게 최선의 효과를 줄 수 있는 학원을 찾는 일에는 시간과 에너지를 쏟았으면 합니다. 단순히 성적 향상이라는 효과를 말하는 게 아니라, 내 아이의 부족하고 어려운 부분이 해결되고 공부할 맛이 나서 레벨이 올라가는 기쁨을 맛보게 해주는 학원을 찾으라는 겁니다. 두드러진 차이를 모르겠다면 무조건 가까운 학원이 최고인 것도 기억해주세요. 학원이 너무 멀면 학원 차에서 휴대폰 게임하고 멀미하느라 시간 버리고 눈 버리고 피곤해하다가 학원도 공부도 다 싫어져 버릴 수 있다는 것, 꼭 기억해주세요.

CHAPTER 03

매일 공부 시간 만들기 1년 플랜

★01★

시간 계획 세우는 법

.... 부모가 잡아주는 매일 공부의 목표가 아이 스스로 공부하게 만드는 자기주도학습인 거 잘 알고 계시죠? 초등 고학년 즈음에는 스스로 목표를 세우고 계획하고 실천하는 습관이 자연스럽게 자리잡히게 하려면 그 시기를 염두에 둔 유사한 경험이 필요합니다. 반사적인 사람은 꼭 그래야 할 때만 변하고, 주도적인 사람은 행동하기 전에 생각하고 그 일을 해낼 수 있는 방법을 적극적으로 고민합니다. 스스로 매일, 매주, 매달, 매 학기의 목표를 세우고 계획대로 실천하고 있는지 점검하는 일은 1학년 아이들도 할

수 있고, 하면 할수록 더 잘할 수 있습니다.

공부 계획의 핵심은 '시간 활용'입니다. 정해진 시간을 어떻게 활용하느냐에 따라 많은 것을 하면서도 여유로울 수 있고, 별로 한 게 없는데도 시간에 쫓길 수 있습니다. 놀이터에서 사는 줄만 알았던 아이가 사실은 제 할 일을 알차게 마쳤고, 놀 시간도 없이 학원 차 타느라 바쁜 아이가 사실은 영혼없이 숙제 하느라 한 시간씩 책상에만 앉아 있는 것일 수도 있습니다. 뛰어노는 게 마땅한 시기의 아이들을 긴 시간 책상 앞에 붙잡아 놓고 그게 아이를 위한 거라고 착각하고 안심하지 않았으면 합니다.

계획은 아이의 연령, 성향, 시기, 방과 후 일정 등을 고려하여 매일 달라집니다. 예를 들어 일주일에 한 번 운동 일정으로 귀가가 늦은 날이 있다면 다른 날과 같은 양의 공부를 할 수 없는 거죠. 그럼에도 운동을 하고 돌아와 지친 아이를 억지로 책상에 앉힌다면 공부와 독서에 대한 거부감만 커지게 될 거예요. 이럴 때 남은 시간을 어떻게 잘 활용하여 제시간에 잠자리에 들 수 있을까 하는 문제는 엄마만의 숙제가 아닙니다. 두 권 읽던 영어책을 한 권으로 줄이고, 두 쪽 풀던 연산 문제를 한 쪽만 풀고, 일기는 내일로 연기하고, 영어 듣기는 5분만. 빠듯하지만 알차게 마무리하고 잠들 수 있게 도와주세요.

아이가 갑자기 아프거나 계획에 없던 저녁 식사, 친지 방문 등의 일정이 생겨 계획한 공부를 시작도 못 해보는 날이 종종 있을 거예요. 하루 공부를 빼 먹었더라도 불안해하지 마시고, 그럴 땐 어떻게 주 단위의 계획을 수정하면 좋을지 함께 의논해보세요. "어제 할머니 오셔서 공부 못했으니까 어제 못 한 것까지 연산 네 쪽 하고 영어책 두 권 더 읽어."가 아니고, "어제 공부를 아예 못했는데 그걸 오늘 두 배로 할 수는 없을 것 같고, 어떻게 하면 좋을까? 좋은 방법 생각나는 거 있어?"라고 슬쩍 아이에게 결정권을 주세요. 아이가 "어제는 이미 지나가 버렸으니 오늘은 오늘의 공부만 하겠다."고 해도 괜찮습니다. 어쩔 수 없습니다. 마음은 아프지만 쿨한 척 존중해주세요.

내 아이가 자기주도학습을 하는 아이로 성장하기를 꿈꾼다면, 모든 시간 계획과 수정 과정에 아이의 고민이 반드시 포함되어야 합니다. 시작은 부모가 100이었지만 점점 주도권을 넘겨 아이가 100을 잡게 만드는 큰 그림을 그리고 있기 때문입니다. 그렇게 얼렁뚱땅 어설프고 유연하게 시작하되, 매일의 경험과 결과치를 바탕으로 조금씩 수정, 발전시켜 가면 훌륭한 연습이 됩니다. 첫술에 배부를 수 없으니 매일 조금씩 꾸준히 해보는 겁니다.

기존에 잡혀 있는 사교육, 방과후 일정 등을 세심히 고려하여 현실적으로 실천 가능한 수준의 계획을 세우세요. '계획해봤자 어차피 다 하지도 못할 텐데' 식의 패배와 실패 경험을 굳이 늘릴 이유는 없습니다. 일정에 맞는 유연한 계획, 그 덕분에 계획한 대로 완성해내는 작은 성공의 경험이 매일 쌓이게 해주세요.

방과후 공부 계획, 주말에 해보면 좋을 공부, 방학과 여행 중의 시간 활용, 틈새 시간 활용 등에 대해 하나씩 짚어보겠습니다. 어차피 해야 하는 공부라면 최소의 시간으로 최대의 효과를 누리고, 남은 시간에는 하고 싶은 것을 경험하고 배우는 초등 시기가 되길 바랄게요.

★ 02 ★

학기 중
평일 공부하는 법

············ 초등학생은 하루에 어느 정도 공부해야 하는 걸까요? 수없이 받는 질문이지만 답을 드리기 가장 곤란한 질문이기도 합니다. 속도, 공부 습관, 누적된 학습량, 공부 경험 등에 따라 같은 학년임에도 아이마다 가장 적당한 공부 분량은 차이가 나기 때문입니다. 주변에 물어보기도 어렵습니다. 도움을 받고 싶어 꺼낸 이야기에 "너무 많이 시키는 거 아니야?" 혹은 "그렇게 안 시켜서 어쩌려고 그래?"라는 핀잔을 듣기도 하니 조심스러울 수밖에 없습니다.

검색해도 나오지 않지만 꼭 알고 싶은 '학년별 적정 매일 공부 시간'에 관한 가이드 라인을 제시해보려 합니다. "지금 하는 것처럼 이 정도로 시키면 되는 걸까요?", "너무 많거나 부족한 건 아닐까요?", "과목별로 이 정도의 비율이면 적당한 걸까요?"라고 질문하며 불안해하는 부모님들께 도움이 되었으면 합니다.

방과후 매일 공부 시간

학기 중 방과후에 스스로 공부하는 시간은 '학년×30분'으로 생각하면 가장 무난합니다. 1학년이라면 30분, 2학년이라면 60분 즉 한 시간이 되는 겁니다. 학년에 따라 집중할 수 있는 시간과 해야 할 공부량을 고려한다면 이 정도 시간이 적절하고, 여기에 독서는 포함되지 않습니다.

더욱 구체적으로 진행하기 위해서는 매일 해야 할 공부를 시간이 아닌 양으로 계획해야 합니다. 그러기 위해서는 우리 아이가 목표한 분량을 마치는 데 평균 어느 정도의 시간이 걸리는지 확인하고, 그에 맞춰 분량을 정하는 수고가 필요합니다. 연산 문제 한 쪽을 푸는 데 3분이면 끝나는 아이도 있지만, 10분 걸리는 아이도 있거든요. 적당한 분량이라고 생각했는데 예상한 시간을 훌쩍 넘겼다면 각 과목의 양을 조금 줄이고, 속도가 빠른 친구들은 양을 살짝 늘려 일정 시간만큼 꾸준히 공부하도록 계획하는 것이 효과적입니다.

아침 시간 활용

인간의 두뇌는 잠에서 깨어나면 적어도 30분 이상의 워밍업 시간이 필요하다고 합니다. 늦잠을 자고 급하게 교실로 달려온 아이들이 1교시 수업 내내 멍한 표정을 지을 수밖에 없는 이유입니다. 아침 시간은 최상의 컨디션으로 등교 준비를 하는 것, 산뜻하고 개운하게 하루를 시작하는 것, 가족과의 가벼운 대화를 통해 기분 좋게 뇌를 깨우는 것, 적당한 양의 먹거리로 배를 채우는 것에 우선순위를 두어야 합니다. 무거운 몸과 머리로 간신히 일어났는데 일어나자마자 하기 싫은 공부를 마주한다면 아침이 오는 게 반갑지 않겠지요.

바쁜 하루 일정 때문에 책 한 장 읽을 시간도 없는 아이를 생각해 아침 시간을 활용할 수 있습니다. 등교 준비가 끝났는데도 시간 여유가 있다면 가벼운 공부를 시도해봐도 좋습니다. 영어 흘려듣기, 연산 문제 풀기, 독서 등 시간이 오래 걸리지 않으면서도 성취감이 높고 결과에 대한 부담이 적은 과목이나 아이가 가장 좋아하는 과목으로 선정하는 것이 좋습니다. 하지만 아이의 상황에 맞지 않는 무리한 강행은 학교에서의 수업 집중력을 떨어뜨리고 아침마다 아이와의 힘겨운 신경전을 하게 만들 수 있습니다.

따라서 이때에도 아이의 의견을 반영하는 것이 좋습니다. "우리, 아침마다 20분 정도 공부해보는 건 어떨까? 아침에 하는 게 좋을 것 같은 과목을 네가 직접 골라봐. 아침마다 꾸준히 해보자."라고 아침 공부의 선택권을 아이에게 주세요. 시간, 양 등은 진행하면서 조금씩 조정해가면 되므로 처음에는 아이가 원하는 대로 하게 하고 일주일 정도 지켜보는 것이 좋습니다.

그러나 아이가 이것 때문에 아침에 일어나기 싫어하거나 밥을 일부러 늦게 먹으면서 시간을 끌고, 혹은 지각을 하거나 아슬하게 교실에 들어가게 된다면 언제든 중단해야 합니다. 어른과 마찬가지로 아침 시간, 특히 등교 이전의 시간은 하루의 기분과 컨디션을 결정하는 중요한 시간입니다. 공부, 지각 등으로 아침 시간이 바쁘고 힘들게 느껴진다면 활기찬 학교생활을 기대하기 어려운 건 당연합니다. 작은 것을 위해 큰 것을 희생하지 마세요.

취침 시간 지키기

해야 할 공부를 다 끝내지 못했더라도 일정한 시간에 규칙적으로 잠자리에 드는 것을 원칙으로 삼으세요. 아침 시간을 알차게 활용하고 싶다면, 늦지 않게 잠자리에 드는 것이 가장 중요합니다. 사람은 타고난 기질에 따라 '아침형 인간'과 '저녁형 인간'으로 뚜렷하게 구분되지만, 우리 아이가 밤이 될수록 쌩쌩해진다는 이유로 아직 초등학생인 아이를 늦게 자게 두면 안 됩니다. 적어도 공부를 하고 신체 성장이 일어나는 학창 시절까지는 규칙적인 수면 습관이 절대적으로 중요합니다.

아이가 바라는 '저녁형 인간'으로서의 생활은 성인이 된 이후에 시작하는 것으로 단단히 약속해두세요. 개인적으로 초등 6년 동안은 10시 이전에 잠자리에 드는 습관을 권하고 싶습니다. 더 '일찍'이라면 더 좋습니다. 이 시간에 잠자리에 들어야 아침 7시쯤 기분 좋게 일어나 여유롭게 등교할 수 있습니다.

아이의 습관은 부모가 만들기 나름입니다. 아이를 일찍 재우기 위해 저녁 시간부터 잠들 때까지 얼마나 동동거리며 바빠야 하는지 잘 알고 있습니다. 조금 정신을 놓고 있다 보면 어느새 훌쩍 10시가 넘어버릴 때가 많지요. 9시 30분 정도에 알람을 맞춰두고 적어도 이 시간까지 모든 숙제와 공부, 내일 학교 갈 준비를 마치는 것으로 약속을 해보세요. 모든 할 일을 끝내고 개운한 마음으로 읽고 싶은 책을 들고 침대로 모이는 편안한 시간이 되게 해주세요.

학년별 매일 공부 예시

<table>
<tr><th>과목＼학년</th><th>미취학</th><th>1학년</th><th>2학년</th><th>3학년</th><th>4학년</th><th>5학년</th><th>6학년</th></tr>
<tr><td rowspan="2">국어</td><td rowspan="2"></td><td>20분</td><td>20분</td><td>20분</td><td>20분</td><td>20분</td><td>20분</td></tr>
<tr><td>교과서/
일기쓰기</td><td>교과서/
일기쓰기</td><td>교과서/
일기쓰기</td><td>교과서/
일기쓰기</td><td>교과서/
일기쓰기</td><td>교과서/
일기쓰기</td></tr>
<tr><td rowspan="2">독서</td><td>10분</td><td>20분</td><td>20분</td><td>30분</td><td>30분</td><td>30분</td><td>30분</td></tr>
<tr><td>읽어주기</td><td>읽어주기
혼자 읽기
낭독</td><td>읽어주기
혼자 읽기
낭독</td><td>읽어주기
혼자 읽기</td><td>읽어주기
혼자읽기</td><td>혼자 읽기</td><td>혼자 읽기</td></tr>
<tr><td rowspan="6">수학</td><td>10분</td><td>5분</td><td>10분</td><td>10분</td><td>10분</td><td>10분</td><td>10분</td></tr>
<tr><td rowspan="5">연산</td><td>연산</td><td>연산</td><td>연산</td><td>연산</td><td>연산</td><td>연산</td></tr>
<tr><td>5분</td><td>10분</td><td>10분</td><td>10분</td><td>10분</td><td>10분</td></tr>
<tr><td rowspan="3">교과서</td><td rowspan="3">교과서</td><td rowspan="3">교과서</td><td rowspan="3">교과서</td><td>교과서</td><td>교과서</td></tr>
<tr><td>20분</td><td>30분</td></tr>
<tr><td>심화, 선행</td><td>심화, 선행</td></tr>
</table>

학년 과목	미취학	1학년	2학년	3학년	4학년	5학년	6학년
영어	5분	5분	10분	20분	30분	30분	30분
	영어영상	영어영상	영어영상	영어영상	영어영상	영어영상	영어영상
	5분	5분	10분	10분	20분	30분	40분
	영어책 읽어주기	영어책 읽어주기	영어책 읽어주기	영어책 혼자 읽기	영어책 혼자 읽기	영어책 혼자 읽기	영어책 혼자 읽기
				10분	10분	10분	20분
				영어일기	영어일기	영어일기	영어일기
사회				10분	10분	10분	10분
				교과서 복습	교과서 복습	교과서 복습	교과서 복습
과학				10분	10분	10분	10분
				교과서 복습	교과서 복습	교과서 복습	교과서 복습
총시간 (독서제외)	20분	40분	1시간	1시간 40분	2시간	2시간 30분	3시간

★03★

방학 중 매일 공부하는 법

방학 중 공부는 꾸준히 진행하기 어렵다는 점에서 부모와 아이 모두에게 아쉬운 실패 경험으로 남고는 합니다. 방학의 본래 의미를 생각하여 학기 중에 계속해오던 학과 공부보다는 여행, 체험, 만남, 휴식, 충전에 초점을 두는 것이 당연하지만, 그렇다고 놀기만 할 수도 없는 것이 현실입니다. 방학의 공부는 유연하면서도 실천 가능한 계획을 제대로 세우는 것이 포인트입니다.

똑똑한 방학 과제

방학이 시작되기 일주일 전쯤이면 방학 과제에 관한 안내를 받습니다. 요즘은 대부분 학교에서 아이 스스로 방학 과제를 선정하도록 하는 추세입니다. 방학 중 매일 공부를 꾸준히 진행하기 위해서는 방학 과제를 선정할 때 전략이 필요합니다. 방학 공부와 방학 과제를 따로 계획하다 보면 공부는 흐지부지, 과제물은 벼락치기가 되기 쉽습니다. 하지만 방학 중에 매일 공부를 실천한 결과물이 고스란히 방학 과제물이 되도록 계획하면 효율과 성취감 모두를 높일 수 있습니다.

보통 방학 숙제로 세 가지 정도 자율 과제를 선정하게 되어 있습니다. 이때 아이가 매일 하면 좋을 만한 공부, 매일 꾸준히 할 수 있을 운동, 독서와 독서 기록, 매일 일기 쓰기를 반드시 넣어주세요. 훌륭한 방학 과제인 동시에 규칙적인 방학을 보낼 수 있는 기준이 됩니다. 물론 이 모든 계획에는 아이의 희망사항이 충분히 반영되어야 합니다. 하지만 결정하기 어려울 때 부모의 조언은 아이가 방향을 잡는 데 큰 도움이 됩니다. 강요하지 않되, 시간과 에너지를 아끼는 방법을 함께 고민하는 과정에서 아이는 성장합니다.

방학은 시간 여유가 많아 보이지만 막상 휴가, 여행 등으로 어느새 훌쩍 끝나버리죠. 그 점을 고려하여 매일 할 수 있을 정도의 양을 정한 후 여행 중에도 꾸준히 해보도록 도전해보세요. 방학 과제가 '여행 후의 보고서 쓰기, 미술 작품 만들기'인 것도 나쁘지 않지만, 이 경우 매일 공부와 방학 과제가 분리되어 못 다 끝낸 과제물 때문에 개학이 다가오는 게 두려워질 수 있답니다.

즐거운 집 공부

집 공부의 매력은 방학이면 제대로 빛을 발합니다. 집에서 공부해도 재미있고 할 만하다는 걸 느끼게 해주면 개학 이후에도 그 느낌을 이어가기 쉽습니다. 방학 중 공부는 오전 시간을 강력히 추천합니다. 그날의 공부를 오전 중에 마무리하고 점심 먹고 난 오후 시간은 견학, 체험학습, 바깥놀이, 산책, 영화관람 등 다양한 활동으로 방학의 자유를 누리는 겁니다. 물론 방과후 학교 프로그램, 학원 시간 등에 따라 달라지겠지만, '할 것 먼저 끝내고 놀러 나가자'는 큰 원칙을 세워 놓으면 매일의 일정을 계획하기 훨씬 수월합니다.

자기 방에 들어가 혼자 공부하기 좋아하는 아이라면 취향을 존중해야겠지만, 그런 게 아니라면 '방학용 홈 카페'를 제안해봅니다. 요즘은 아이들도 카페를 좋아하고 부모와 함께 들러본 경험이 많습니다. 집을 카페처럼 운영해보세요. 아이들이 카페를 좋아하는 포인트를 잡아 마치 카페에서 공부하는 대학생이 된 것 같은 기분이 나도록 하면 혼자서 하는 공부가 마냥 지겹지만은 않습니다.

취향이 적절히 반영된 기분 좋은 음악이 흐르고, 맛있는 음료를 한 잔 마셔가며 공부하는 시간을 싫어할 아이가 있을까요? 저희 집에서는 여름엔 복숭아 아이스티, 겨울엔 핫초코가 잘 나갑니다. 공부보다 음료 마시는 일에 더 열심을 내는 아이들의 모습마저도 사랑스럽게 보입니다. 이렇게 아이들과 식탁에 마주 앉아 커피를 마시며 책을 읽고 글을 쓰는 시간은 제게도 말할 수 없는 행복감을 줍니다. 그 시간에 충전된 에너지로 삼시세끼를 차려야 하는 험난한 날들을 이겨냅니다.

직장맘의 방학

전업맘의 방학이 평소보다 더 힘들고 피곤한 날의 연속인 정도라면, 직장맘에게 방학은 전쟁입니다. 저학년은 돌봄교실의 도움을 받기도 하지만 어차피 온종일 돌봄은 불가능하여 이후 시간을 위한 대안이 필수입니다. 돌봄교실이 있어 점심식사를 해결할 수 있으면 다행이지만 그마저 어려운 경우라면 조부모댁에서 방학을 온전히 보내고 돌아오는 편이 훨씬 낫습니다. 맡아서 봐주실 조부모님이 계시면 염치 불구하고 저학년 정도까지는 신세를 지는 것이 좋습니다. 한 달 이상의 긴 방학기간 동안 아이 스스로 종일 끼니를 해결하면서 혼자 긴 시간을 보내는 것은 건강, 안전, 정서적인면에서 말리고 싶습니다.

그럴 수도 없는 상황이라면 학교와 지역 도서관을 적극적으로 이용해보세요. 아이가 시간을 때우기 위해 여러 학원을 옮겨 다니면 학원 시간, 셔틀 시간을 신경 쓰느라 부모도 회사 일에 집중하기 어렵습니다. 그보다는 조용하고 안전한 도서관에서 책에 온전히 빠져보는 여유로움을 가져보게 하는 건 어떨까요? 만화책만 봐서 도서관에 보내기 싫다고요? 빈집에서 혼자 이런저런 영상을 보고 게임을 하는 것보다 사서 선생님께서 돌봐주시는 도서관에서 학습 만화를 읽으며 재미와 상식을 모두 잡아보는 게 훨씬 낫지 않을까요? 아이가 어느 정도 공부 습관이 잡히고 나면 공부할 책들을 싸 들고 가서 도서관에서 온종일 시간을 보내고 오는 날이 늘어날 거예요. 그렇게 끝내고 집에 오면 아이가 먹고 쉬면서 가족과 시간을 보내는 행복감을 느낄 수 있게 해주세요.

04

주말, 휴일 활용하는 법

대부분 부모는 주말 아침이면 오늘은 또 어딜 가서 뭘 해야 하나 고민에 빠집니다. 주말이면 특별한 곳에 가서 어느 정도의 돈을 쓰고 무언가를 사 들고 돌아오는 것을 공식처럼 생각하는 아이의 기대가 부모에게는 부담이 될 수 있지요. 평일에 공부하느라 바빴던 아이에게 주말에도 똑같이 공부하라고 강요할 순 없습니다. 하지만 조금만 달리 생각해보면 평소 부족했던 독서 시간을 확보하고 조금 더 정성스러운 일기 쓰기를 시도하기에 주말, 휴일처럼 적당한 날이 없습니다.

오직 놀고만 싶은 주말에 책을 읽고 일기를 쓰는 것에 아이가 거부감을 가질 수 있습니다. 그러나 주말에는 평일에 하지 못했던 나들이, 외식, TV 시청, 게임, 여행, 영화관람, 친지 방문 등 다양하고 특별한 일정들이 있으므로 그 점을 강조하면 오히려 구슬리기 쉽습니다. 아이가 주말 시간도 거부감 없이 알차게 활용하도록 설득하는 건 부모만이 할 수 있는 일입니다. 하루 중 미리 정한 시간만큼은 가족이 함께 모여 책을 읽고 일기를 쓰면서 더 많은 대화를 나눠보세요. 돈은 돈대로 쓰면서 지치는 틀에 박힌 주말보다 훨씬 의미 있는 시간이 될 거예요.

일기 쓰기 좋은 날

평일보다 쓸거리가 많으면서 쓸 시간은 풍부한 주말, 정성껏 제대로 일기를 쓰기에 최적의 기회입니다. 숙제에 밀리고 학원에 밀려 급하게 쓴 평일의 일기만으로는 일기를 활용한 글쓰기 연습이 충분치 않습니다. 하루를 함께 보낸 아이의 즐거운 모습을 기억했다가 그걸 소재로 아이가 일기를 쓸 수 있도록 온 가족이 함께 해주세요. 쓰다가 내용이 막히거나 있었던 일을 자세히 기억해내지 못할 때, 그 경험을 함께했던 식구들이 한 마디씩만 도와줘도 훨씬 수월하겠지요.

아이에게 방에 들어가서 일기 쓰라고 해놓고 부모가 거실에서 TV를 보고 있으면 아이는 얼른 쓰고 나가서 TV를 봐야겠다는 생각뿐입니다. 그 시간만큼은 부모가 아이와 함께 있어주세요. 함께 먹었던 음식, 함께 갔던 재미있었던 곳, 함께 봤던 영화와 공연에 관해 이야기를 나누고, 그 이야기가 아이를 통해 한 편의 글이 되는 과정을 지켜보며 응원해주세요. 다 쓴 일기를 가족 앞에서 멋지게 읽어 보이는 아이를 보고 뿌듯하고 기쁨을 느끼는 것은 주말의 특권, 우리 부모의 특권입니다. 그 모습이 사랑스러워 애써 영상으로 남기는 부모의 열정도 아이에게는 가족의 사랑과 관심을 느끼는 행복한 추억이 됩니다.

쫓기듯 서둘러 영혼 없이 써 내려갔던 평일의 일기에서 성취감을 느껴보지 못했던 아이도 모처럼 만족스럽게 완성한 자신의 글을 보며 뿌듯함을 느낍니다. 이렇게 주말마다 한 번씩 점프하며 평일의 일기도 따라서 성장해갑니다.

번역기, 사전을 이용하느라 시간이 걸리는 영어 일기를 처음으로 시도해보기에도 주말이 적당합니다. 자리가 잡힐 때까지 영어 일기는 주말에만 쓰는 것도 좋습니다. 아이가 직접 고른 간식, 잔잔하고 편안한 음악, 여유 있는 시간, 부모의 힘 나는 응원과 눈빛이면 주말은 게임 하기 좋은 날이 아니라 일기 쓰기 참 좋은 날이 됩니다.

책의 바다에 빠져보기

날씨가 좋아 반드시 바깥놀이를 해야 하는 날, 특별한 일정을 미리부터 계획했던 날, 친구, 친지와 약속이 있는 날이 아니라면 시간 부담 없이 온전히 책의 바다에 빠져보는 날을 계획해보세요. 평일의 독서가 시간에 쫓기며 꾸역꾸역하는 숙제였다면, 주말의 독서는 좋아하고 보고 싶었던 책을 마음껏 즐기며 독서에 대한 좋은 기억, 편안한 호감을 갖는 기회가 될 수 있습니다.

아이가 집에 있으면 스마트폰만 하려 한다고 해도 괜찮습니다. 첫술에 배부를 수 없지요. 책을 보는 분위기, 책이 있는 공간에 익숙해질 시간이 필요하고 아이에 따라 걸리는 기간이 다를 수 있습니다. 몇 년이 걸려도 좋으니 될 때까지 꾸준히 하겠다는 마음으로 여유롭게 하세요.

집에서 종일 긴 시간을 보내기 지루하고 힘들다면 도서관, 대형서점에서 간식을 사 먹어가면서 오랜 시간 다양한 책을 접해보는 것도 주말에만 할 수 있는 일이에요. 그 공간에서 책을 열심히 보지 않아도 괜찮습니다. 책을 고르고 읽는 사람들을 보는 것도 유익한 경험입니다.

갈수록 극심해지는 더위, 추위, 미세먼지 때문에 자유로운 실외활동이 어려운 날이 많아지고 있습니다. 뿌연 하늘을 원망하고 속상해하느라 하루를 망치지 말고 적극적인 독서의 기회로 만들어보세요. 핀란드는 추운 날씨 때문에 집에서 보내는 시간이 길어 자연스레 높은 수준의 독서와 가족 간 토론이 활발하다고 합니다. 내가 어찌할 수 없는 날씨 때문에 속상해하지 말고 가족끼리 단란하고 돈독하게 보내는 시간으로 활용했으면 좋겠습니다.

05

여행, 체험학습 활용하는 법

············ 아이가 생기고 난 후 우리의 여행은 이전과 확연히 달라졌습니다. 아이를 위해 더 안전하고 청결한 숙소를 결정하고, 동선을 수정해서라도 교육적 의미가 있는 장소에 들르는 수고를 기꺼이 감당합니다. 우리의 교육열은 여행, 견학 중에도 쉽이 없어 아이가 하나라도 더 챙겨보고 체험해보고 느끼도록 노력합니다. 저는 이런 대한민국 부모의 열정이 지금의 우리 사회를 지지하는 가장 큰 원동력이라고 생각합니다. 세계 어딜 다녀봐도 이처럼 부지런하고 디테일하게 교육을 챙기는 부모들은 없습니다.

안타까운 것은 이런 넘치는 열정이 지나쳐 때로 부모가 주도하고 아이가 수동적으로 따라가는, 아이 입장에서는 재미 하나도 없는 여행이 되기도 한다는 점입니다. '무엇을 배워 올 것인가'보다는 '어떤 새로운 경험을 할 것인가'를 여행의 교육적 목표로 삼았으면 합니다. 역사 유적지와 박물관에서 얻을 수 있는 대부분의 지식은 책과 검색으로도 얻을 수 있는 것들입니다. 여행과 박물관 체험학습이 책에서 얻을 수 없는 '진짜 공부'가 되는 방법을 소개합니다.

함께 계획하기

바라던 날짜에 핫딜이 뜨기를 기다려 숙소를 예약해놓고 두근대는 마음으로 오가는 길의 맛집을 검색하고 아이를 위해 들를 만한 곳을 결정하는 것은 모두 부모의 일이었습니다. 아이는 어느 숙소든 수영장만 있으면 즐거워하고 푹신한 침대에서 방방 뛰며 호텔 놀이를 즐기지만 이것도 몇 년 가지 않습니다. 여행지와 상관없이 비슷한 일정, 관심 없이 둘러보는 유적지와 관광지에 흥미를 잃은 아이는 초등 고학년만 되어도 집에 남겠다고 합니다. 따라만 다니는 여행, 떠밀리듯 무언가를 머릿속에 넣어야 하는 상황이 싫어진 거죠.

이제 여행을 계획하는 단계에서부터 아이를 적극적으로 참여시켜보세요. 여행의 모든 일정을 아이 뜻대로 하는 건 불가능하겠지만 예약한 숙소 근처의 관광지, 체험 활동을 검색하는 일은 어렵지 않습니다. 장소 한 가지, 체험할 만한 것 한 가지 등의 선택적 자유를 주고, "그 일정은 너의 결정대로 아빠, 엄마가 따라갈 거야. 네가 가보고 싶은 곳, 하고 싶은 것을 정해서 알려줘."라고 하여 아이의 능동적인 참여를 유도해야 합니다. 그곳에 가면 뭐가 재미있고 어떤 신기한 것이 있는지, 왜 그곳을 선택했는지 아이가 부모에게 설명하고 이끌어 가게 해보세요.

힘들게 여행 일정을 짰는데 아이의 시큰둥한 반응에 상처받아본 적 있다면 그동안의 여행에서 아이가 어떻게 느꼈을지 생각해봐 주세요.

시간과 돈의 자유

아이에게 시간과 돈의 자유를 주는 것은 해외여행에서 더욱 빛을 발하는 방법이지만, 국내의 낯선 곳에서도 하기 좋습니다. 여행 일정 중 두 시간 정도의 시간만 할애하면 아이에게 평생 못 잊을 최고의 추억을 선물할 수 있습니다.

제가 아이들과 여행지의 전통시장에 들렀을 때나, 작은 마을 시내를 구경할 때 주로 사용하는 방법입니다. 시장의 입구에 서서 “지금부터 두 시간은 너희 마음대로 다니는 거야. 너희가 상의해서 방향을 결정하고 들어가고 싶은 가게에 들어가고 먹고 싶은 것을 사 먹어. 엄마는 위험하지 않게 뒤에 따라 걸을게. 지금 여기서는 어른처럼 하고 싶은 대로 하는 거야. 배낭여행 중인 대학생이라 상상하고 멋지게 여행을 떠나보자.”라고 합니다. 그리고 시간을 알려준 후, 각자에게 현지의 돈을 나눠줍니다. 어릴 때는 2천 원, 3천 원으로 시작하여 고학년인 요즘은 만 원씩 통 크게 쏘기도 합니다. 그리고 저는 정확히 아이들과 1미터쯤 떨어져 걷습니다.

아이들을 지켜보면 걸음에 힘이 들어가고 눈빛이 번쩍합니다. 터벅터벅 따라 걸으며 ‘힘들다’, ‘덥다’며 징징대던 아이들이 ‘어디로 갈까, 쉬었다 갈까, 무엇을 살까’를 고민하느라 어느새 부모의 존재도 잊어버립니다. 목이 마르면 물을 달라고 하지 않습니다. 직접 길 위의 자판기나 편의점을 이용하고, 시장의 꼬치 집에서 얻어 마시기도 합니다. 낯선 언어를 사용하는 외국에서도 어떻게든 해결하려고 애를 씁니다. 그런데도 불평이 없습니다.

친절하게 설명해주고 챙겨주고 안내해주며 데리고 다닐 땐 구시렁구시렁 소리가 끊이지 않던 아이가 엄마 한 번 안 부르고 잘도 걷습니다. 조잡하기 짝이 없는 기념품을 사 들고 좋아서 어쩔 줄을 몰라 합니다. 그리고 오늘 정말 재미있었다며 줄줄줄 일기를 씁니다.

아이는 가르치지 않아야 자랍니다. ‘이렇게 하는 거야’ 하고 가르치지 말고 스스로 해볼 기회를 충분히 허락해주세요.

하루의 주인

남편(아내) 없이, 차도 없이 하루를 온전히 혼자 아이와 보내야 하는 날이 있습니다. 이런 날은 시간이 참 더디 갑니다. 미리 친구들과 약속을 잡기도 하지만 그게 여의치 않은 날이 있습니다.

이런 날이라면 이날을 온전히 아이에게 맡겨보세요. 아이가 하루의 일정을 세워보게 하세요. 점심을 먹을 식당을 마음대로 정하게 하고, 평소 하고 싶었지만 시간에 쫓겨, 가족의 일정에 맞추느라 하지 못했던 일을 해보는 날로 만들어보세요. 아이가 둘 이상이라면 각각 하나씩 선택권을 주고 선택한 일정을 동선에 맞게 조율해서 집을 나서는 겁니다. 점심 메뉴를 놓고 둘이 싸우면 가위바위보 등의 규칙을 정해 결정하게 합니다. 그러면 양보하고 포기하는 법도 경험할 수 있습니다.

아직 어리거나 경험이 없어 결정을 어려워한다면 주변에 가볼 만한 몇 군데 선택지를 주고 그중에서 고르게 하는 것으로 시작하면 됩니다. 이렇게 하면 무엇보다 시간이 굉장히 잘 갑니다. 미니 여행

같은 하루를 보내고 나면 여행의 주인이었던 아이는 무조건 재미있었다고 할 거고, 부모도 온종일 혼자 애 보느라 힘들었다고 서글퍼지지 않을 수 있습니다. 주말 아침이면 반복되는 뭐 할까, 어디 갈까 하는 고민은 아이에게 슬쩍 넘기고, 달달한 커피 마시며 느긋하게 아이의 결정을 기다려보세요.

06

틈새 시간 활용하는 법

.... 자리잡고 앉아서 공부를 시키기에 애매한 틈새 시간엔, 유튜브를 적극 활용해보세요. 유튜브의 시대에 아이를 키우는 우리는 복 받았습니다. 식당에 앉아 바른 모습으로 밥을 먹는 아이들 옆에는 으레 유튜브 영상이 있습니다. 돌아다니고 떼쓰는 아이를 달래느라 모처럼의 외식을 망치는 일은 이제 보기 힘듭니다. 너무 어릴 때부터 영상에 노출되면 중독되는 문제가 있지만, 영상을 끊고 살 수는 없는 포노사피엔스 시대에 영상물을 지혜롭게 이용할 수 있는 제언을 드리고자 합니다.

사실 영상물이 나쁜 것은 아닙니다. 누가 더 유튜브를 잘 활용하느냐에 따라 공부 습관의 성패가 좌우될 만큼 유튜브는 다양한 방법으로 활용 가능한 공부 수단이 되기도 합니다. 태어나면서부터 유튜브를 보며 성장한 요즘 아이들은 기회만 되면 유튜브라는 공간 안에 오랜 시간 머물고 싶어합니다. 설령 그것이 공부라 할지라도 유튜브 안에 머물 수 있다면 흔쾌히 하려고 합니다. 이 점을 잘 이용하자는 것입니다.

이미 아이들에게 강력한 놀이 수단이 되어버린 유튜브를 막으려고만 하지 말고, 제한하느라 싸우지 말고, 적극적으로 관리하고 활용했으면 합니다. 유튜브 덕분에 이제 스마트폰과 구글 계정 하나면 즐겁게 놀이하듯 언제 어디서든 공부할 수 있습니다.

나만의 영상 목록

흘려 듣기용 영어 동영상부터 한국사 강의, 과학실험, 영어 문법 강의 등 다양한 학습용 영상이 무료로 제공되는 곳이 유튜브이며, 적어도 향후 10년간 더 많은 영상이 공유될 것이라고 합니다.

영상으로 제공되는 것이라면 아무리 어려워도 일단 집중하고 보는 것이 요즘 아이들입니다. 책으로, 문제집으로 해봤지만 지루해하는 과목이라면 애니메이션, 짤막한 강의 영상으로 접근해보기를 추천합니다.

아이가 흥미를 보일 만한 교육적인 영상을 틈나는 대로 찾아 아이 이름으로 추가 계정을 만들어 영상 목록에 넣어두세요. 이렇게 만반의 준비를 해두고 식당에서 오랜 시간을 보내야 하거나 잠시 아이만 두고 외출해야 할 때 적극적으로 활용하는 겁니다. 유튜브의 도움이 꼭 필요한 순간에 이왕이면 교육적인 효과가 있는 영상에 노출 시키자는 것이죠.

미리 목록을 만들어두면 그중에서 어떤 것을 골라봐도 유익하며, 틈새 시간을 알차게 활용할 수 있습니다. 스마트폰을 건넬 때 아이와 약속할 것은 '임의로 검색해서 보지 않기', '아래에 떠 있는 추천 영상 보고 싶을 때는 허락받고 보기'입니다. 의도치 않게 성인용 영상에 노출되어 후회할 일이 생기지 않도록 기본 원칙만 잘 지켜도 유튜브는 나쁜 것, 두려운 것이 아닐 수 있습니다. 그 밖에도 EBS, 넷플릭스에서도 다양한 교육 영상, 영어 영상을 필요에 따라 편리하게 이용할 수 있으니 꼼꼼하게 살펴보세요.

공부 기록장으로서의 유튜브

유튜브는 시청하는 매체인 동시에 누구든 직접 영상을 만들어 올릴 수 있는 공간입니다. 기존의 EBS와 같은 영상학습 매체는 제공하는 영상을 수동적으로 보는 것으로 만족해야 했지만, 유튜브는 어린이도 직접 영상을 만들어 올릴 수 있다는 매력적인 장점이 있습니다.

아이들은 유튜브에 접속해 더 재미있는 영상이 없을까 눈을 반짝이며 찾습니다. 뭐든 좋으니 재미있기만 하면 되는데, 그중 가장 재미있는 영상은 '내가 나오는 영상'입니다. 요즘 아이들 사이에서 자랑거리는 우리 아빠의 유튜브 채널, 유튜브에 올라가 있는 나의 영상, 내가 직접 운영하는 유튜브 채널입니다.

아이가 하는 매일의 공부를 유튜브에 올려보세요. 1분 만에 연산 한 쪽을 거뜬히 풀어내는 모습, 영어책을 소리 내어 읽는 모습, 동화책을 읽고 느낀 점을 이야기하는 모습, 매일 1분 영어 스피치 하는 모습 등 아이의 평소 공부 모습을 영상으로 촬영하고 매일 하나씩 채널에 올려보는 겁니다. 아이의 얼굴이 공개되는 게 꺼려진다면 이 모든 영상을 비공개로 설정하면 남들은 볼 수 없지만 우리 가족은 언제든 열어볼 수 있는 소중한 기록이 됩니다. 자신이 영어책 낭독하는 영상을 보면서 자랑스러워하거나 또 해보고 싶게 만든다면 이보다 더 큰 동기부여가 있을까요?

아이 손에 스마트폰을 건네야 할 때 자기가 나오는 영상을 찾아보도록 한다면 일석이조의 효과를 기대할 수 있습니다. 또, 이렇게 만들어진 영상을 명절에 친지들이 모인 자리에서 함께 보는 것도 아이에겐 말할 수 없이 뿌듯한 순간이 됩니다.

직접 영상을 올리는 일은 부모의 구글 계정을 사용하면 가능합니다. 어렵지도 않습니다. 혼자 업로드하는 일이 익숙치 않은 초기에만 부모가 몇 번 영상을 함께 업로드하면서 설명해주세요. 곧 아이가 훨씬 더 능숙하게 채널을 관리할 수 있게 될 거예요. 부모가 칭찬의 댓글을 남기고 주변 지인들에게 구독과 시청을 권할수록 열심히 해보려는 아이의 의지는 강해집니다.

아이들은 재미있어야 합니다. 재미있으면 합니다. 매일 아침 일어나 1분 영어 스피치를 하고 등교하는 일은 어렵지 않지만, 매일 1년간 반복했을 때 가져올 변화는 상상 이상입니다. 스스로 이렇게 하겠다고 하는 아이는 없겠지만 이렇게 해보자고 권했을 때 하지 않겠다고 도망가는 아이도 없을 거예요. 얼마나 더 재미있고 덜 힘든 환경과 상황을 만들어주느냐에 따라 달라집니다.

아이와 채널을 운영할 때 짚어봐야 할 부분은 키즈 유튜브 채널의 부정적인 면입니다. 아이가 주인공이 되어 끌고 나가는 영상은 때로 수익이 창출되기 시작하면서 주객이 바뀌어버리기도 하니까요. 공부 습관을 잡기 위해 시작했다면 습관이 잘 잡히고 난 후에는 채널 운영의 방향에 관한 자율권을 전적으로 아이에게 주어야 함을 명심하세요.

매일 공부가 자기주도학습으로 가는 9가지 원칙

01

공부보다 중요한 3가지를 기억하세요

············ 살아가다보면 인생의 시기에 따라 중요하게 여겨지는 것들이 있습니다. 돌쟁이 아기는 잘 먹고 자는 것이 최고고, 임산부라면 충분한 영양 섭취가 중요하고, 축구선수라면 집중해서 훈련하는 일이 가장 중요하겠지요. 대한민국 학생에게 성적이 가장 중요하다는 사실은 부인할 수 없습니다. 대학 입시를 앞둔 고3 학생들에게 가장 중요한 건 '공부', '성적' 맞습니다. 그들은 일상의 다른 무엇보다 높은 점수를 향해 전력을 다해야 합니다.

그럼 초등학교 시기는 어떨까요? 초등학생에게 잘 잡힌 공부 습관은 매우 중요하지만 그것만이 가장 중요한 것은 아닙니다. 더 중요한 것도 있습니다. 그런데 초등 때마저도 오직 공부, 성적만을 향해 달리고 있는 부모들이 있습니다. 그런 분들께 아이에서 어른으로 성장하는 결정적인 시기인 지금 갖지 못하면 평생 돌이킬 수 없는 것들에 대해 말씀드리고자 합니다.

건강

정확히 말하면 이 시기의 건강은 '성장'을 뜻합니다. 초등 시기에 건강하지 못하면 충분히 성장하지 못합니다. 요즘 아이들, 잘 먹고 지냅니다. 영양이 부족한 아이는 찾기 어렵습니다. 부모가 영양제를 꾸준히 먹이고 때마다 보약도 지어 먹입니다. 그런데도 학교 보건실은 늘 비염에 시달리고 전염병에 걸리고 머리 아프고 배 아프다는 아이들로 복작거리니 이상한 일입니다.

비싼 고기 사다가 신경 써서 먹였는데 왜 이렇게 골골하면서 더디게 크는 걸까요? 답은 '잠'에서 찾을 수 있습니다. 지금처럼 공부에 시달리지 않았고 스마트폰이 없던 우리 어린 시절을 생각하면 힌트가 될까요? 요즘 아이들은 학원을 옮겨 다니느라 귀가 시간은 늦어지고 식사 시간은 불규칙해지고 못다 한 숙제를 하고 부모님 몰래 스마트폰 보느라 취침 시간이 점점 늦어집니다.

아직 뭐가 중요한지, 뭐가 가장 필요한 시기인지를 모르는 초등학생들에게 알아서 조절하라고 맡기거나 취침 시간으로 협상하지 않았으면 합니다. 늦게 잠들어 늦잠을 자고 피로가 덜 풀린 채 교실 책상에 엎드려 있는 아이들의 모습은 그들의 책임이 아닙니다. 잠이 덜 깬 아이는 피로감으로 예민해져 있어 교실에서 쉽게 짜증을 내고 다툼이 잦습니다. 매사에 부정적이고 소극적인 태도는 담임 선생님의 꾸중을 듣게 만듭니다. 그리고 그렇게 자주 혼나다 보면 학교 가기 싫어집니다.

충분히 잘 자고 아침밥 든든히 챙겨 먹고 등교한 아이들은 표정과 태도에 여유가 있습니다. 수업 중의 활동에 적극적으로 참여하고 뭘 해도 즐거워 합니다. 학교가 재미있고 공부도 할 만합니다. 우리가 기대하고 상상하는 교실에서의 아이 모습, 그 결정적인 차이는 성적도, 성향도, 습관도 아닌 '매일의 컨디션'이었습니다.

그렇다면 부모인 우리가 조금 더 나은 쪽으로 이끌어줄 의무가 있지 않을까요? 1년 내내 매일의 일상을 기계처럼 돌아가게 만들 순 없지만, 적어도 학기 중 평일 5일은 취침 시간, 기상 시간을 정해 놓고 지키게 하여 아이들의 건강, 컨디션, 성장을 위해 노력해야 합니다.

한 달에 백만 원이 훌쩍 넘는 성장호르몬 주사를 맞히기 위한 경제적인 부담은 흔쾌히 감당하면서, 밤 11시의 숙면 중에 가장 활발히 분비된다는 공짜 성장호르몬에는 관심이 없다면 이보다 아이러니한 일이 또 있을까요?

해야 할 숙제가 많아 밤 10시에 잠자리에 들 수 없는 일상이라면 조정이 시급합니다. 수학 문제 덜 풀고, 영어책 덜 읽어도 괜찮으니 충분한 수면 시간을 위해 애써주세요.

예의

땅콩 회항으로 유명한 대기업 임원의 일화보다 저를 더 놀라게 했던 건 어떤 언론사 사장의 딸에 관한 기사였습니다. 초등학교 3학년 아이가 나이 지긋한 운전 기사님께 반말은 물론이고, 대놓고 무시하고 어른들도 쓰지 않을 막말을 했다는 내용이었습니다. 나라꼴이 걱정스러워졌습니다. 이 아이만의 문제가 아니라는 걸 느끼고 있기 때문에 더욱더 걱정을 했는지도 모르겠습니다. 사실 지금은 남의 아이 걱정할 때가 아니라 내 아이에게 예의를 제대로 가르치고 있는지를 짚어봐야 할 때입니다.

교실에는 서른 명이 넘는 아이들이 모여 있습니다. 이 아이가 정말 괜찮은 성품을 가진 아이라는 것을 담임 선생님이 파악하기까지는 시간이 걸릴 수밖에 없습니다. 아이가 교실에서 존재감이 없을까 봐, 칭찬을 받지 못할까 봐, 내성적이라서, 자기표현에 서툴러서, 공부를 못하는 편이라서 걱정된다면 먼저 예의 바른 인사법을 가르치고 선생님 말씀에 공손하게 대답하도록 연습시키세요. 어떤 선생님을 만나도 틀림없이 사랑받습니다.

담임교사가 공부 잘하는 아이를 편애할 거라 생각한다면 대단한 오산입니다. 공부 잘하는 아이는 부모의 기쁨이지 담임교사와는 아무 상관이 없습니다. 공부 잘하는 아이가 예쁨받는다면 그 아이가 예의 바르기 때문일 것이고, 공부 못하는데도 예쁨받는다면 역시나 예의 바르기 때문일 것입니다. 눈을 마주치고도 제대로 인사하지 않고 공손하게 대답하지 않는 아이를 공부만 잘한다고 예뻐할 이유는 없습니다.

가정에서 잘 배우고 정성 들여 키운 아이라는 걸 보여줄 강력한 수단이 바로 '예의'입니다. 인사 한 가지를 제대로 배우지 못해 괜한 오해를 받지 않게 해주세요. 똘똘할수록 더욱더 예의를 장착시키세요. 잘난 사람이 예의 없으면 더 크게 욕을 먹습니다. 잘난 사람이 예의 바르면 훨씬 더 인정받고 칭찬받습니다.

생활습관

'엄마가 다 해줄게, 너는 공부만 해'라는 마음으로 아이의 책상을 정리해주고 연필을 깎아주고 준비물을 하나하나 챙겨주고 완벽한 식사를 차려내고 빨래를 고이 개어 서랍에 넣어주고 책가방을 들어주고 차에 태워 데려다 주고 음식을 입에 넣어주고 있지는 않은가요? '부모가 그 정도는 도와줄 수 있지'라는 마음으로 과한 친절을 베풀며 아이 스스로 할 기회, 성장할 기회를 뺏고 있지는 않은지 생각해보세요. 자식을 위해 최선을 다하고 있다는 부모의 자기만족은 아닌지도 마음 깊이 생각해볼 문제입니다.

부모의 시간과 에너지를 희생하며 수고한 일이 때로 아이에게 독이 될 수 있습니다. 아이의 올바른 생활습관을 위해 가정 안에서 원칙을 만들어보세요. 부모는 아이가 스스로 할 수 있는 일을 대신해주며 아이를 더욱 편안한 상태로 만들어주는 존재가 아닙니다. 아이가 혼자 힘으로 해보다가 어쩔 수 없이 어른의 힘과 지혜가 절실한 순간에 손을 내미는 사람이 부모가 되었으면 합니다.

일상에서 아이 스스로 해야 하는 일의 영역을 점차 확장해주세요. 초등학생이라면 식사 준비를 돕고, 빨래 정리를 분담하고, 자신의 방과 책상을 정리하고, 잠자리를 정리하는 등의 기본적인 생활습관을 갖추기에 부족함이 없습니다. 학교와 학원에 다니며 공부를 한다는 이유로 왕자와 공주처럼 대접만 받으며 자라지 않도록, 아이가 이기적으로 자라지 않도록 옳은 방향으로 제대로 보살펴주세요.

★ 02 ★

로봇처럼 문제 푸는 아이로는 만들지 마세요

············ 초등학생 공부 습관에 관한 강의를 할 때면 늘 어머니들의 반짝이는 눈을 만납니다. 열심히 메모하며 고개를 끄덕이는 모습을 보면 뭐라도 한마디 더 해드리고 싶은 마음에 예정한 시간을 훌쩍 넘깁니다. 말씀드리는 저도, 들으시는 어머니들도 열정 가득한 강의가 끝나면 마무리하면서 꼭 드리는 말씀이 있습니다.

"어머니들 정말 멋지시고, 열심히 하시려는 열정 정말 좋은데요, 그렇다고 오늘 당장 집에 가서 애 잡으시면 큰일 납니다."

초등 중, 고학년은 물론이고 저학년, 심지어 유치원 아이를 둔 엄마도 오늘부터 당장 매일 공부를 시작해야지 다짐하지만 저는 일단은 참으라고 당부합니다. 하루이틀 더 일찍 시작하는 것보다 먼저 지킬 수 있는 계획을 세우는 것이 중요하기 때문입니다. 꾸준히 실천하여 내 것으로 만드는 것만이 오래 가는 유일한 방법입니다. 제 강의만 듣고, 제 책만 읽고 그대로 시작하려는 분도 말립니다. 다양한 강의를 듣고 책을 읽고 비교해보면서 '내 아이에게 가장 잘 맞는' 계획을 세우는 것이 중요하기 때문입니다.

다들 대박이라던 어느 문제집을 저희 아이들은 쳐다보지도 않았고요, 사근사근한 선생님이 돌봐주시던 영어도서관도 몇 번 가더니 다시는 가지 않으려 했습니다. 아이마다 다르고, 발달 시기마다 다릅니다. 나이가 같다고 모든 아이가 같은 양의 공부를 하지 않으며, 그럴 필요도 없습니다. 다양한 사례를 공부하면서 내 아이에게 적당한 교재, 방법, 시간, 사교육을 정하고 나서 시작해도 늦지 않습니다. 좋다더라는 말만 믿고 급하게 주문한 문제집, 확신 없이 시작한 학습지, 친구 따라 보낸 학원까지. 이랬다저랬다 하는 엄마의 결정에 아이는 길을 잃습니다.

마음의 여유를 가지세요. 공부 습관이 만들어지는 데 66일이 걸린다고 '공부의 신' 강성태 님이 그러셨는데요, 초등학생은 66일로는 어림없습니다. 적어도 1년입니다. 저희 아이들은요, 저의 교육관의 방황, 정보 부족, 복직으로 인한 시간적 체력적 한계, 사춘기 반항으로 인한 침체기 등의 온갖 굴곡을 겪으며 결국 '알아서 하게 만드는 데' 1년이 훌쩍 넘는 시간이 걸렸습니다.

공부 습관 잡아보겠다고 식탁에 마주 앉아 공부하다가 속에 불이 나 집어던진 연필이 몇 자루인지, 찢어버린 공책이 몇 장인지 모릅니다. 실망스러운 아이의 모습에 화를 다스리지 못하고 소리를 지르고 책을 뺏어 바닥에 집어 던졌습니다. 이렇게 하다가는 아무것도 되지 않을 것 같은 불안감에 밤이면 눈이 벌게지도록 동네 학원을 검색하곤 했습니다. 지금 어머니들이 가진 답답함, 불안을 충분히 이해할 수 있는 이유입니다. 당시, 강하게 학원을 거부해준 아이들에게 고마움을 표합니다. 순순히 학원에 가겠다고 했다면 빚을 내서라도 보내고 싶었을 만큼 엄마표는 충분히 힘들었습니다.

학원에는 가지 않겠다며 목석처럼 버티는 아이들을 아무것도 안 하게 둘 수 없어 뭐라도 시켜보려고 하나씩 시작해보았습니다. 오래 걸렸지만 결과적으로 아무것도 늦은 것이 없습니다. 저의 엄마표 공부 습관 잡기의 목표는 '알아서 공부하는 놈 만들기'였기 때문에 성공입니다. 검증된 거 맞습니다. 똘똘하게 잘하는 아이들은 1년 정도 걸리고요, 학습이 좀 느린 편이거나 그동안 생활습관이 제대로 잡히지 않은 아이라면 여유롭게 2년 정도 잡고 시작해주세요.

한꺼번에 모든 과목을 시작하려 하지 말고, 한 과목이라도 제대로 자리잡힐 때까지 여유롭게 기다려주세요. 말하지 않아도 술술 하는 날들이 이어지면 천천히 상황 봐가며 기분 좋은 어느 날 두 번째 과목을 슬쩍 얹는 겁니다. 세 번째, 네 번째도 같습니다. 그러니 1년이 걸릴 만하지요. 좀 잡아보려고 하다 보면 주말 오고, 연휴 있고, 방학입니다. 그런 불규칙한 일정 가운데 지치지 말고 꿋꿋하게 가다 보면 거짓말처럼 군소리 없이 약속한 것을 해내는 아이를 만나게 됩니다.

아무리 느리고 서툴고 공부를 못하는 아이라도 매일 하는 습관을 당할 수가 없습니다. 덕분에 성적도 잘 나오면 좋겠지만 그렇지 않아도 괜찮습니다. 이미 몸에 밴 습관은 성적이라는 결과와 무관하게 끊임없이 아이에게 성취감을 가져다주고 높은 자존감을 만들어낼 것이기 때문입니다.

급하게 가면 아이보다 엄마가 더 힘듭니다. 엄마 맘도 모르는 아이는 태평하고 엄마는 하루에 한 대뿐인 버스 놓칠까 봐 걱정하는 사람처럼 전전긍긍합니다.

'내가 잘못하고 있어서 습관이 잡히지 않는 건가, 아이에게 무슨 문제라도 있는 건가? 습관 잡겠다고 시간 허비하지 말고 지금이라도 학원에 보내는 게 빠르지 않을까?'

마음처럼 따라와 주지 않는 아이를 보며, 협조하지 않는 남편과 가족을 보며 오만가지 걱정과 원망에 휩싸인 엄마는 스스로가 만든 엄마표의 감옥으로 걸어 들어갑니다. 아이 친구들이 다니는 학원, 풀고 있는 학습지, 문제집 얘기를 듣고 온 날이면 내 아이만 뒤처진 것 같은 불안감에 잠은 다 잤습니다. 주관 잡고 가겠다고 결심해놓고 반 모임 한 번에 와장창 무너져 "그래서 그 학원이 어디예요?" 라고 카톡을 보내고는 얻어낸 정보에 뿌듯해합니다.

공부시키지 말자는 얘기가 아닙니다. 공부 좀 잘 시켜보자는 얘기입니다. 진짜 공부를 시키자는 얘기입니다. 시키는 대로 로봇처럼 문제를 푸는 아이로 만들지 말고, 뭐를 알고 싶은지 무엇을 해야 할지 알아서 찾아내고 결정하는 아이로 만들자는 겁니다, 제발. 그래서 엄마의 빈틈, 마음의 여유는 정말 중요합니다.

운동회 날, 아빠와 손잡고 달리던 아이가 아빠의 속도를 감당하지 못해 흙바닥에 뿌연 먼지를 일으키며 넘어지는 모습, 본 적 있으실 거예요. 아이의 공부 습관을 잡는 일은 아이의 손을 잡고 달리는 것과 다르지 않습니다. 마음 급한 엄마가 온 힘을 다해 빨리 달린다고 아이가 그 속도에 맞춰 뛰어줄 거라 기대하면 안 되겠지요. 빠르지 않은 아이가 원망스럽고, 엄마는 괜히 옆에 있는 남편이 꼴 보기 싫어집니다.

엄마의 급하고 불안한 마음을 아이가 눈치채지 못하게 하세요. 엄청나게 여유 있는 척, 훌륭하게 기다리고 있는 척하세요. 척을 자꾸 하다 보면 언젠가 그렇게 되기도 합니다. '나는 올 한 해 이 아이에게 바라는 것이 없다'는 마음으로 습관 잡기의 첫 1년을 보내보세요. 습관 하나를 예쁘게 만들기 위해 몇 달이 되어도 좋으니 칭찬을 반복해보세요. 아이는 여름날의 상추처럼 하루가 다르게 쑥쑥 자랄 거예요.

올해 잘 안 되면 내년에 다시 하겠다고 편하게 맘먹어도 괜찮습니다. 저는 수년째에 비로소 성공했으니, 아무리 늦어도 저보다 빠를 거예요. 재촉해서 잘할 일이 아니고, 욕심낸다고 잘될 일이 아니라는 것만 기억하면 이미 저보다 엄청나게 성공입니다.

03

결과는 '무심하게' 과정은 '과하게' 칭찬해주세요

교실에서 채점이 끝난 단원평가 시험지를 나눠줄 때면 담임 마음 짠하게 하는 아이들이 하나둘 눈에 띕니다. 백 점을 맞으면 십만 원을 받기로 했는데 이제 다 망했다며 나라 잃은 표정을 짓습니다. 백 점 시험지를 들고 신이 나서 폴짝거리는 친구 옆에 엎드려 분한 마음을 다스리다가 결국 눈물을 쏟아내기도 합니다. 수업 시간마다 열심이던 아이가 그러고 있으면 더 마음 아파 한참을 바라보게 됩니다.

아이에게 보상을 약속하는 부모의 심정, 이해하지요. 열심히 노력하는 아이에게 흡족한 보상을 주고 싶은 마음, 목표를 달성하는 경험을 통해 더 큰 목표를 세우고 성취감과 자존감을 높여주려는 큰 그림인 것을 충분히 알고 있습니다. 그런데 안타깝게도 우리 아이들을 결과적으로 가장 좌절하게 만드는 제안이 뜻밖에도 '이번 시험에서 백 점 맞으면 뭐 해줄게'입니다.

처음 이 제안을 들으면 아이는 신이 납니다. 이백 점, 삼백 점도 받을 수 있을 것처럼 의욕에 넘쳐 시험을 준비합니다. 그 모습을 바라보는 엄마의 마음도 설레고 목표를 향해 노력하는 아이의 모습이 마냥 흐뭇합니다. 그렇게 아이와 엄마 모두를 행복하게 했던 노력의 시간이 지나갔고 점수가 나왔습니다. 어처구니없는 실수를 하는 바람에 한 문제 놓쳤습니다. 당사자인 아이도, 응원하며 기대하던 부모도 실망감을 감추지 못합니다. 아이는 하나 틀린 것도 엄청 잘한 거라며 약속했던 선물을 사달라고 눈물을 흘리며 떼를 쓸 거예요. 다 아는 문제를 실수로 틀려온 아이를 보며 엄마는 속상한 마음에 선물은 무슨, 시끄럽다고 안 된다고 소리 지릅니다.

계획대로 약속대로 꾸준히 성실히 준비했지만 한 끗 차이로 백 점을 맞지 못한 아이에게 약속했던 보상을 주어야 할까요, 말아야 할까요? 실력은 충분한데 실수로 틀린 거니 백 점과 다름없는 거라며 슬그머니 소원 하나 들어주고 넘어가도 될까요, 약속은 무슨 일이 있어도 지켜야 하는 거라며 억울해 눈물 뚝뚝 흘리는 아이를 못 본 채 해야 할까요?

최선을 다했으나 원하는 결과를 얻지 못한 아이는 '다음엔 더 정신 바짝 차리고 열심히 문제를 풀어서 꼭 백 점을 맞겠어.'라고 다짐하지 않습니다. '나는 왜 이렇게 운이 없지? 그렇게 열심히 했는데 실수해서 결국 다 망쳤어.'라는 좌절을 시작합니다. 약속했던 선물을 받아도 찝찝하고, 안 받으면 무지하게 서럽습니다. 엄마는 어떤가요? 짠한 마음에 못 이긴 척 사주고는 어딘가 좀 찝찝해하고, 끝내 안 사주고는 미안해하며 아이 눈치를 살핍니다.

초등학생은 평가의 결과로 칭찬받으면 안 됩니다. 지금 아이들이 학교에서 보고 있는 과목별 단원평가는 수업 내용을 얼마나 잘 이해하고 있는지를 확인하는 용도로만 활용하면 충분합니다. 단원평가 점수는 아이가 수업 시간에 집중하여 배우고 있는가, 수업 내용을 충분히 소화하고 있는가, 부족하다면 어떤 부분의 복습이 더 필요할까, 혹은 이 정도면 선행 학습을 시작해봐도 괜찮을까 등을 확인하는 근거로만 사용해주세요.

목표한 시험 점수를 위해 노력해야만 실력이 향상될 거라고 생각할 수 있지만, 평가를 위해 단기적인 시험 준비를 하는 패턴은 오히려 공부 습관 잡기라는 큰 그림을 그릴 때 해가 될 수 있습니다. 내일 있을 수학 단원평가에 대비하느라 매일 하던 영어책 읽기와 연산 연습을 건너뛰는 일은 없어야 합니다.

하기 싫고 왜 해야 하는지 잘 모르겠지만, 그럼에도 책상에 앉아 계획대로 약속대로 해보려고 애쓰는 우리 아이들에게 칭찬과 보상은 부모의 생각보다 훨씬 절대적입니다. 우리의 칭찬과 보상이 아이를 교만하고 버릇없게 만들까 걱정된다고요? 대한민국 학부모라면 그런 걱정 안 하셔도 괜찮습니다. 지금 우리는 아무리 열심히 해도 절대로 과하지 않을 만큼 칭찬과 표현에 인색한 문화에 살고 있습니다. 제가 잠시 머물고 있는 캐나다는 입만 열고, 눈만 마주쳐도 칭찬을 하더라고요. 뭐 이렇게 심하게 칭찬을 주고받는 거지 싶을 정도였습니다. 제가 아무리 노력하고 흉내내도 그들의 절반도 따라가기 어려웠습니다. 칭찬은 아끼고 매사 엄하게 다스리던 보통의 부모님 밑에서 자라온 우리 세대라면 아무리 과하다 싶게 칭찬해도 아이들에게는 넘치지 않을 것입니다.

단원평가, 받아쓰기 점수에는 적당히 무심하게 반응하되, 매일 공부 습관을 꾸준히 실천하는 모습에는 과하게 칭찬해주세요. 탁월함이 아닌 성실함을 칭찬해야 합니다. 아이는 약속된 보상과 민망할 정도로 쏟아질 부모님의 칭찬을 기대하며 성실한 하루를 보내기 위해 노력할 거예요. 그게 아이를 성장시키는 힘입니다.

엄마의 주도로 시작했던 매일의 공부 습관이 아이 주도의 자기주도학습으로 자리잡도록 돕는 것이 우리의 최종 목표라면 지금 받아오는 '점수'가 아닌 '태도'에 반응해야 합니다. 열심히 꾸준히 해낸 성과에 충분히 만족스러울 만큼 칭찬하고 보상해주어야 합니다. 또, 낮은 시험점수를 비난하고 꾸중하기보다는 계획대로 해내기 위해 노력하지 않고 약속을 가벼이 여기는 모습에 단호하게 반응해야 합니다.

하기로 한 것을 해내기 위해 힘들어도 한 번 더 노력하는 아이가 되도록 당근과 채찍을 적절히 동원해야 합니다. 과정이 충실했다면 결과는 따라옵니다. 그 결과는 만족스러운 시험 성적일 수 있지만, 그것만이 아닙니다. 하루하루 성실하게 약속한 분량의 공부를 해내는 습관이 몸에 밴 아이가 지금의 성공 경험을 차곡차곡 쌓아 얼마나 멋진 삶을 꾸리게 될지 상상해보세요. 시험 한 번에 웃고 우는 아이가 아니라 큰 꿈, 높은 목표를 향해 매일의 성실함을 단련해가는 아이의 모습, 생각만 해도 멋지지 않나요?

과정을 칭찬하기 위해 자주 사용하면 효과적인 단어는 '성실, 끈기, 자신감, 인내, 열심, 습관, 매일, 약속, 계획, 꾸준히, 스스로, 알아서, 오늘도, 집중해서, 부지런하게' 등의 태도에 관한 것들입니다. '최고, 천재, 백 점, 올백, 점수, 바보, 1등, 완벽, 실망, 실패' 등 결과에 관한 단어로 평가할 때에 비해 달라진 아이의 눈빛과 의욕을 만나게 될 거예요. 성실하게 일구어낸 습관으로 칭찬받은 아이는 더욱 정교하고 단단한 습관으로 인정받기 위해 노력할 거고요. 그게 우리 아이들을 세우는 가장 강력한 힘이 됩니다.

04

아이가 직접 선택하고 계획할 기회를 주세요

매일 하나부터 열까지 꼼꼼하게 점검하려고 욕심을 내면 부모도, 아이도 금방 지칩니다. 반복된 일상으로 매일의 공부 습관이 몸과 마음에 완벽히 배어 아이 스스로 알아서 하는 것이 우리의 목표인 만큼 부모는 일관된 태도로 아이를 격려하고 점검해야 합니다. 지치지 않으면서도 디테일이 살아 있는, 혼내고 감시하기 위함이 아니라 자신감을 북돋아 신바람 나게 공부하도록 하는 매일의 점검법에 대해 생각해보겠습니다.

선택하고 계획할 기회

집에 돌아온 아이에게 "얼른 간식 먹고 영어 숙제해." 하고 결정해주지 마세요. 불만만 쌓일 뿐입니다. 무심한 듯 아이에게 물어보세요. 오늘의 공부를 언제, 어떤 순서로 진행할 것인지 아이의 계획을 묻는 것으로 충분합니다. 오늘 대략 어느 정도 공부할 수 있는 시간이 확보되어 있는지만 알려주면 됩니다. 아이도 다 생각이 있거든요.

평소와 다른 일정이 계획되어 있어 시간이 부족하거나, 학원 휴강 등으로 여유가 생겼다면 정해진 시간을 어떻게 활용할지 아이에게 선택하고 계획할 기회를 주세요. 물론 이때 우리의 머리에는 일정에 관한 적절한 예시가 들어 있어야 합니다. 오늘 계획된 공부의 종류를 떠올리면서 스스로 시간에 맞추어 과목을 배치할 수 있도록 유도해주세요.

아이가 주도적으로 계획했다면 그것을 바탕으로 조금 더 시간을 효율적으로 활용하는 방법, 예를 들면 간식을 먹으면서 영어 동영상을 보는 것, 일기를 맨 뒤로 미루지 않는 것 등의 조언을 해주고 조절하여 오늘 공부의 최종 계획을 짜는 겁니다. 거창한 과정처럼 보이지만 습관이 되면 5분도 걸리지 않아요. 학교 다녀와 쉬고 싶은 아이에게 무턱대고 "바로 연산부터 시작해."라고 시키는 것과는 비교할 수 없이 좋은 경험이 됩니다.

아이가 세운 그날의 계획이 터무니없고 현실적이지 않거나 성에 차지 않아도 괜찮습니다. 잘못된 계획 때문에 하루 공부 못해도 큰 일 나지 않습니다. 아이 스스로 계획한 공부가 실제 어느 정도로 실천되는지를 직접 해보고 내일의 계획에 반영하게 만드는 게 가장 중요합니다.

매일 30분

아이가 공부하는 내내 옆을 온전히 지켜야 한다면, 이 생활은 얼마 못 갈 가능성이 높습니다. 부모 주도로 시작된 공부이기 때문에 부모가 지치고 아프고 바쁘면 즉시 중단될 수밖에 없습니다.

웬만하면 필요한 모든 것을 아이 스스로 하게 두세요. 그 시간에 엄마 책 읽으시고, 바쁜 집안일 해도 괜찮습니다. 부모 주도로 공부 습관 잡기를 시작할 때 부모가 쉽게 하는 착각 중 하나가 아이와 한 몸을 이루어 아이의 모든 어려움을 대신 해결해주어야 한다는 것입니다. 그래서 아이가 작은 일이라도 하나하나 부모에게 물어본 후 결정하게 합니다.

그래서는 안 됩니다. 우리는 이 과정을 지나 스스로 계획하고 알아서 공부하는 아이로 키우는 큰 그림을 그리고 있기 때문에 좀 더 쿨하게 내버려두는 연습이 필요합니다. 연산 문제를 풀 동안 설거지하고, 영어책 읽을 동안 엄마도 책 읽고, 일기 쓸 동안 좀 쉬세요. 괜찮습니다. 어쩌다 한 번 부모의 사정으로 제대로 점검하지 못한 날에도 평소와 같이 공부가 이어졌다면 아주 잘하고 있는 거예요.

매일 투자하라고 말씀드리는 30분은 점검의 시간입니다. 아이가 틀린 문제, 모르는 단어, 헷갈리는 맞춤법 등을 질문하면 알려주고 계획한 대로 잘 끝냈는지 확인하고 칭찬하는 시간은 30분이면 충분합니다. 얼마 안 가 10분도 걸리지 않습니다. 시간이 더 지나 10분도 필요 없이 아이 혼자 계획하고 실천하고 점검하고 있다면 '자기주도학습이라는 새로운 세계에 진입했구나' 생각하고 축하하면 됩니다.

형광펜 활용법

우리가 지금껏 점검을 위해 사용하고 있는 건 아마 '빨간펜'일 거예요. 채점할 때, 맞춤법 틀린 것 교정해줄 때, 중요한 부분 표시해줄 때도 모두 빨간펜이 필요했습니다.

생각의 전환이 필요합니다. 점검의 목적이 달라져야 합니다. 잘못한 것을 지적하여 맞게 고치도록 하고, 틀린 문제를 찾아내어 다시 풀게 하고, 덜 쓰거나 엉망으로 쓴 부분에 밑줄을 그어 다시 쓰게 만드는 게 지금까지의 점검이었습니다. 그런데 그렇게 해서 아이가 정말 다시는 실수를 반복하지 않게 되거나 더욱 정성 들여 멋지게 써내는 모습을 본 적 있으신가요? "도대체 이게 뭐냐!"고 호랑이처럼 소리 지르면 당장은 잘해옵니다. 누워 있던 글씨가 벌떡 일어나고 다섯 줄짜리 일기가 한쪽을 그득 채웁니다. 속이 시원하신가요? 이제 좀 만족스러우신가요?

빨간펜은 강렬한 색깔만큼 강력한 효과가 있지만, 이 상황은 아이를 돕고 흔쾌히 더 잘하게 만드는 행복한 느낌은 아닙니다. 우리가 기대하는 공부는 엄마의 호통에 울면서 다시 해오는 고통스러운 엄마표가 아니잖아요? 열심히 쓴 일기, 잘해보겠다고 꾹꾹 눌러쓴 정성스러운 일기장이 빨간펜으로 만신창이가 되어 아이에게 돌아왔습니다. '수고했어'라고 칭찬하고 고쳐야 할 띄어쓰기, 맞춤법, 단어, 문장 부호까지 친절하게 알려주었건만 아이 표정은 어둡습니다. 아무리 열심히 써도 지적만 받는 일기를 더 쓰고 싶지 않습니다. 분량이 많을수록 더 많은 지적 사항이 있으니 길게 쓰고 싶지가 않습니다.

초등 아이들이 피곤해지면 답이 없습니다. 잘했건 못했건 어찌됐건 오늘의 공부를 마쳐낸 아이를 위해 '칭찬의 형광펜'을 사용하세요. 맘에 안 드는 구석이 한두 군데가 아니겠지만 그건 못 본 겁니다. 가장 잘된 문장, 아이가 사용한 새로운 단어를 발견하고 형광펜을 그어주세요. 오늘의 최고 문장을 골라 큰 소리로 읽어주고 칭찬해주세요. 그게 좋아 내일은 더 멋진 문장을 만들기 위해 노력하는 아이를 만나게 될 거예요. 오늘은 어느 부분에 칭찬을 받게 될까 기대하며 열심히 공부한 것들을 당당하게 들고 올 거예요.

05

아이의 꿈을 자주 일상적으로 나누세요

"축구는 커녕 달리기도 못하면서 축구 선수가 되고 싶다니까 기가 막히죠."

"하루에도 열두 번씩 장래희망이 바뀌니 도대체 무슨 생각을 하는지 모르겠어요. 매일 이랬다저랬다 하는데 저렇게 하다가 뭐 하나도 제대로 못할까봐 걱정입니다."

"말로는 의사 되고 싶다는 애가 공부할 생각은 하지를 않으니 답답해요."

"춤 연습 열심히 해서 아이돌 되겠다고 저 난리예요. 속 터져요, 정말."

아이의 진로에 관한 우리의 생각은 이 이야기에서 크게 벗어나지 않을 것입니다. 이런 생각이 잘못되었다는 뜻은 아니에요. 이처럼 한 번이라도 진지하게 아이의 진로에 관해 고민해보셨다면 진심으로 칭찬해드리고 싶습니다. 아이의 꿈, 이루고 싶은 목표, 정말 하고 싶은 일에는 관심 없이 오직 좋은 성적을 받아 일류대학에 가는 것에만 집중하는 부모도 정말 많거든요.

초등학교 단원평가 점수보다 중요한 꿈, 미래, 높은 목표에 대해 아이와 진지하고 경쾌한 대화를 나누어본 적 있으신가요? 다가올 여름휴가에 관해 설레며 대화 나누듯, 지난 주말 맛있게 먹었던 메뉴에 관해 대화 나누듯, 아이의 꿈에 대해 자주 일상적으로 자연스럽고 편안하게 대화 나누세요.

꿈이 없다고 하는 아이에게 "너는 되고 싶은 것도 없냐"며 구박한다고 해서 없던 꿈이 억지로 생기지 않아요. 전공과 직업의 종류를 성급하게 결정할 필요는 없습니다. 일찍 정해서 남보다 일찍 그 길로 달린다고 해서 평생 그 길만 걷지는 않더라고요. 대학 전공과 상관없는 직업을 택하는 직장인, 마흔이 넘어도 진로를 고민하는 중년, 늦은 나이에 정말 하고 싶은 일을 발견해 다시 공부를 시작하는 분들을 보면 진로를 정하기에 가장 적당한 때는 과연 언제일까 생각하게 됩니다.

하지만 초등학생에게 '되고 싶은 직업', '이루고 싶은 꿈', '꼭 해보고 싶은 일', '안 될 가능성은 높지만 그래도 도전해보고 싶은 목표'는 꼭 필요합니다. 말도 안 되게 허황되더라도 큰 꿈 없이 매일의 공부에 치이고 숙제에 시달리며 지내기엔 너무 아까운 나이니까요. 되고 싶은 게 너무 많고, 말도 안 되는 꿈을 꾸느라 히죽히죽 웃으며 행복해해야 할 나이입니다. '어차피 내 성적으로는 안 될 거야' 하며 현실적인 포기를 하기엔 이른 나이예요.

꿈이 있다는 게 얼마나 행복한 일인지, 얼마나 가슴 벅찬 일인지 알게 해주세요. 앞으로의 삶이 얼마나 다양하고 멋지게 펼쳐질지, 노력하기에 따라 얼마나 큰 가능성을 내 것으로 만들 수 있을지 함께 대화를 나누어보세요.

부모의 눈에 차지 않는 꿈을 꾸고 있다는 이유로 대화를 피하지 마세요. 부모가 원하는 직업을 갖기를 바라며 대화를 유도하지 마세요. 아이의 꿈이 무엇이건 무조건 기대하고 함께 노력할 것을 다짐하는 것이 부모의 역할입니다. 진로에 관한 대화를 나눌 때 활용하면 좋을 팁을 알려드릴게요. 자칫 듣기 싫은 훈계로 끝나버리기 쉬운 주제이므로 기억해두고 활용하세요.

다큐멘터리 활용하기

꿈이 없는 아이에게는 열심히 노력해서 꿈을 이룬 김연아 선수,

손흥민 선수, BTS의 이야기가 약입니다. 그들이 꿈을 위해 얼마나 오랜 시간 노력했는지를 알게 하는 것만으로도 아이의 마음은 달라질 수 있습니다.

"너는 커서 뭐가 되고 싶니?"라는 질문은 1학년 아이들도 지겨워합니다. 갑작스럽게 꿈, 목표에 관한 말을 꺼내기 어색하다면 다큐멘터리가 최고입니다. 자기 분야에서 성공하여 대중의 인기, 관심을 동시에 받고 있는 사람들에 관한 다큐멘터리가 있습니다. 잔소리인지 아닌지 구분하기 어려운 말로 구구절절 훈계하기보다는 흥미로운 영상, 진솔한 인터뷰가 담긴 다큐멘터리 영상이 훨씬 효과적일 수 있습니다.

가족이 함께 보며 자연스럽게 아이의 꿈은 무엇인지, 영상 속의 사람들을 보며 무엇을 느꼈는지 가벼운 대화를 시도해보세요. 가르침으로 마무리하지 마세요. 마음에 담은 감동과 결심이 홀딱 깨져버립니다. 제대로 빠져들어 시청했다면 아이는 부모가 주려던 가르침보다 훨씬 더 많은 것을 깨닫고 결심했을 거예요. 다만, 그것을 표현하기 쑥스러워할 뿐입니다. 아이의 모든 생각을 다 알기 위해 애쓰기보다 아이가 꿈꾸는 데 도움이 될 만한 생각의 기회를 주는 것이 훨씬 효과적입니다.

꿈을 평가하지 않기

꿈이 뭐냐는 질문에 용기 내어 대답한 아이에게 너는 꿈이 그게 뭐냐며 핀잔을 주거나 그 꿈은 현실적으로 별로라고 단정한다면 대화는 끝입니다. 대한민국에서 아이를 키우는 우리 부모들이 아이에게서 듣고 싶은 대답은 "열심히 공부해서 의사 혹은 판검사가 되고 싶어요."일 것입니다. 그 대답이 듣고 싶어 그 말이 나올 때까지 커서 뭐 되고 싶으냐고 자꾸 묻지만 기대했던 대답은 나오지 않을 거예요.

어쩌다 진짜 의사가 되고 싶다고 말하면 벌써 의사가 된 것처럼 기뻐하며 꼭 그 꿈을 이루라며 격려하고, 그게 아니라면 꿈은 열두 번도 더 바뀌는 거라며 오늘 들은 아이의 꿈은 못 들은 걸로 해버리고 말지요. 아이의 순수한 꿈, 꼭 이루고 싶은 높은 목표를 어른의 기준으로 평가하지 마세요. 기대했던 답이 아니라는 이유로 못 들은 척하지 마세요. 부모가 원하는 직업의 장점을 설명하며 아이를 설득하지 마세요. 이루고 싶은 꿈을 가지고 있다는 것을 높이 평가하고 그 사실을 칭찬해야 합니다.

정말 많은 초등학생이 하고 싶은 것도 없고, 되고 싶은 것도 없다고 말합니다. 고학년이 되면 이런 종류의 무기력은 점점 더 심각해집니다. 학원에 지치고 공부에 지쳐 의욕이 사라져버린 아이들에게는 꿈이 없다는 사실, 그리고 그렇게 만든 건 바로 우리라는 사실을 기억해야 합니다.

일상 속 직업 체험 시도하기

초등 시기에는 다양한 직업을 간접적으로 체험합니다. 키자니아, 잡월드 등의 직업 체험관은 평일, 주말 가릴 것 없이 북적입니다. 비싼 입장료를 감수하면서 짜인 틀과 시간에 맞춰 체험할 수밖에 없는 직업 체험관 대신 직접 아이를 직업 현장으로 이끌어보는 건 어떨까요? 저는 휴직 기간 중 적어도 한 달에 한 번은 가정체험학습을 신청하여 한산한 평일의 엄마표 직업 체험을 다녔었어요. 주요 방송국을 견학 다니면서 MC, 아나운서, 성우 체험을 하게 했고, 동네 지방법원에 재판 일정을 문의해 직접 재판을 구경하기도 했지요. 눈앞에서 다양한 법조인을 볼 수 있는 생생한 경험이었어요. 청와대, 국회의사당, 국회도서관 등도 빼놓을 수 없는 코스고요, 대형병원, 대형약국, 시청, 구청 등 입장료 없는 곳 위주로 열심히 다녔답니다. 직장 엄마들도 학기에 한 번씩 정도는 시간을 내실 수 있을 테니 남들 다 하니까 비싼 돈 내고 입장하는 곳 말고요, 진짜 그 직업을 가진 어른을 만날 수 있는 곳으로 아이와 떠나보는 건 어떨까요? 견학, 체험학습에 관한 자세한 정보는 책 마지막에 부록으로 담았습니다.

06

아이의 성향에 따라 단기, 장기 보상을 선택하세요

적절한 칭찬과 보상은 공부 습관이 자리 잡는 데 꼭 필요합니다. 우리 아이들은 아직 공부해야 하는 이유를 정확히 모르기 때문에 쉽게 지치고 중단하기를 반복할 수밖에 없습니다. 학생이 공부하는 건 당연하니 칭찬을 하거나 보상을 하면 안 된다고 생각할 수도 있습니다. 그러나 아이들에게 당연한 일은 '노는 것'이기 때문에 당연하지 않은, 싫고 어렵지만 노력하고 있는 일에 대한 적절한 칭찬과 보상은 무엇보다 큰 효과를 가져올 수 있습니다. 눈에 보이는 보상은 부모의 심리적인 부담을 덜 수 있다는 점 때문이라도 권해드립니다.

칭찬의 말

자녀가 열심히 공부해서 훌륭한 사람이 되어 나라에 도움이 되고 부모님께 효도해야겠다는 의지가 확고한 아이라면 이 부분은 안 읽으셔도 됩니다. 그런 아이를 키우신다면 애초에 이 책은 펼칠 필요도 없었겠죠. 보통은 그렇지 않은 모습에 실망하고 혼내도 보고 달래도 보고 잔소리했다가 칭찬했다가를 반복하는 게 일반적입니다.

아이 스스로 공부의 동기를 찾지 못하는 것은 지극히 정상이며, 그런 아이를 보고 부모가 '도대체 의지가 없다'며 조급해하는 것도 정상입니다. 그런데 아이의 마음을 움직이고 노력하게 하는 것이 있다면 오직 하나, '부모의 칭찬'입니다. 사람을 움직이는 건 잔소리가 아니라 칭찬입니다. 잔소리에 익숙해지면 지적받은 부분만 교정하고 끝내는 수동적인 아이에 머물지만, 잘하고 있다는 칭찬과 기대를 받다 보면 '어떻게 하면 더 나은 결과를 가져올 수 있을까'를 스스로 고민하게 됩니다.

칭찬이 아이에게 부정적인 영향을 줄 수 있다는 얘기도 있지만 제 생각은 좀 다릅니다. 물 마시듯, 밥 먹듯 끊임없이 칭찬해주세요.

혹여 버릇없어질까 봐, 칭찬에 무감각해질까 봐, 교만해질까 봐 걱정되어 칭찬을 아끼고 있었다면 그러지 마세요.

'잘했어'라고 똑같은 칭찬만 반복하면 하는 사람도, 듣는 사람도 재미가 없습니다. 들어도 감흥이 없습니다. 이것도 안 하는 것보단 낫지만, 이왕 칭찬하기로 마음먹었다면 하는 사람도 덜 지겹게 칭찬 멘트를 다양하게 사용해보세요. '감동이다', '멋지다', '놀랐다', '감탄을 안 할 수가 없다', '나가서 자랑하고 싶을 정도다', '정말 잘해서 사진으로 찍어놔야겠다', '역대급이다', '대박이다', '중학생 수준이다', '책으로 만들어도 되겠다', '본 것 중 최고다', '아빠 오시면 꼭 보여 드려야겠다', '주말에 할아버지께 보여드려야겠다', '아무래도 천재인 것 같다', '엄마는 이렇게 열심히 한 적이 없었는데 넌 누굴 닮아서 이렇게 잘하니' 등등의 다양한 표현으로 1분 이상의 시간을 들여 호들갑을 떨어보세요.

잔소리를 할 때는 한마디 끝나기 무섭게 자리를 피하던 아이가 칭찬의 말은 아무리 길게 해도 꼼짝 않고 끝까지 듣고 있는 모습을 보게 됩니다. 그리고 다음 날이면 어제의 환상적인 칭찬을 떠올리며 더 열심히 해보려고 노력할 거예요. 아이를 변화시키는 건 아이가 가장 사랑하는 사람, 부모의 칭찬과 인정입니다.

또 하나 구체적으로 칭찬하는 방법은 '역시'라는 단어를 사용하는 것입니다. '역시 우리 딸은 책가방 정리를 잘해', '역시 우리 아들은 글씨가 멋져'라는 식으로 '역시'로 시작하여 아이의 구체적인 행동을 묘사하는 것으로 마무리하면 됩니다. 때로 아이가 그렇게 되기를 원하는 행동을 넣어 표현해보는 것도 아이를 움직이는 힘이 됩니다.

내 아이만을 위한 특별한 보상

효과적인 보상을 위한 전제가 있습니다. 이미 모든 것이 지나치게 풍족하지 않아야 한다는 것입니다. 원하는 것을 언제든 얻을 수 있고, 먹고 싶은 것을 원 없이 먹으며, 말만 하면 바라는 것을 턱턱 가질 수 있는 환경이라면 웬만한 보상에는 꿈쩍도 하지 않습니다. 요구하는 선물의 금액만 점점 높아집니다. 평소에 부족함을 느낄수록 새로 얻게 되는 것들에 반응하게 되겠지요.

적절하고 효과적인 보상을 위해서는 일상에서의 절제가 전제되어야 합니다. 아이마다 좋아하는 장난감, 책, 영화, 여행, 음식, 식당, 놀이, 게임, 모임, 친구, 친척이 다릅니다. 그걸 가장 잘 알고 있는 사람은 부모뿐입니다.

교실에서 학급 아이 모두를 대상으로 하는 보상은 체육 시간, 과자 파티, 학용품 선물처럼 단순하고 무난합니다. 체육을 싫어하는 아이는 체육 시간이라는 보상을 얻기 위해 노력할 이유가 없습니다.

아이가 가장 바라는 소원, 가장 갖고 싶은 것, 가장 만나고 싶은 사람이 정교하게 디자인된 우리 아이만의 보상을 고민할 것을 모든 부모님께 숙제로 내드리고 싶습니다.

내 아이가 정말 얻고 싶은 보상이 뭘까를 놓고 아이와 진지하게 대화를 나누어보세요. 아이가 정말 원하던 것이지만 갖지 못하고 하지 못했던 것을 묻고 답하면서 이달의 목표, 이번 학기의 목표, 올해의 목표를 이루기 위해 파이팅을 외쳐보세요.

아이가 저학년이고, 공부 습관이 자리잡히지 않았고, 집중력이 짧은 편일수록 매일 혹은 1주일 단위의 잦은 보상이 효과적입니다. 반대의 경우라면 한 달 혹은 한 학기 정도의 장기적인 단위의 큰 보상을 추천합니다. 어느 쪽일지 확신이 없다면 단기 보상으로 시작하여 아이의 목표 도달 정도에 따라 주기를 조금씩 늘려가세요. 단, 백점을 받았을 때가 아닌, 일정 기간 꾸준히 계획대로 실천한 것에 대한 보상이라는 것 기억해주세요.

07

절대 다른 아이와 비교하지 마세요

대한민국에서 아이를 키우는 부모라면 주변과의 비교, 경쟁은 피할 수가 없습니다. 그 때문에 때로 말도 못하게 피곤해지기도 합니다.

내 아이의 점수는 당연히 궁금하지만 아이 친구의 점수도 만만치 않게 궁금합니다. 내 아이가 잘하기를 바라는 무의식 속에는 아이 친구 '누구'보다 잘했으면 좋겠다는 마음도 있습니다. 그런 자신을 인정하고 싶지 않을 뿐, 좁은 땅에 가지런히 모여 사는 우리의 시선은 자연스레 옆집을 향할 수밖에 없습니다. 뭐, 좀 그러면 어떻습니까? 이것도 우리가 살아가는 자연스러운 모습이라 생각하고 쿨하게 인정하자고요.

문제는 본격적으로 공부를 시작하면서 발생합니다. 같은 개월 수인데 우리 아이보다 야무지게 말 잘하고 한글을 줄줄 읽는 옆집 아이를 볼 때는 그저 부러운 정도였다면, 받아쓰기, 단원평가, 학기 말 성적표를 받기 시작하면서 본격적인 비교와 경쟁이 시작됩니다. 평소 아이와 친하게 지내는 친구라 잘 아는 사이라면 비교와 경쟁의 정도는 더욱 심해집니다.

더 잘하는 친구의 비법이 궁금하고, 그 아이가 풀고 있는 문제집, 사교육을 따라 하고 싶어집니다. 그러면서 발전해가기도 하니 나쁘기만 한 건 아니지만, 아직 초등학생이라는 것, 당장의 시험 성적보다는 잘 닦인 공부 습관이 더 중요한 시기라는 것, 순수한 우정을 경험할 수 있는 얼마 남지 않은 시간이라는 것을 기억 하셨으면 합니다.

학급 서열에 따라 등급이 결정되고 그 등급에 따라 진학할 학교가 결정되는 중고등학생이 되면 아이들도 친구를 경쟁 상대로 인식합니다. 하지만 아직은 같은 반 친구가 더 잘한다고 해서 속상해할 나이가 아닙니다. 비교 대상은 친구가 아니라 '작년의 나', '지난달의 나', '어제의 나라'는 것을 아이의 마음에 새겨주세요. 아무리 천천히 가도 계속 가고 있다면 잘하는 것이고, 아무리 뛰어나도 꾸준하지 못하다면 점검이 필요합니다.

교실에서 두각을 나타내는 아이들은 엄마들의 입에 오르내리기 쉽습니다. 그 아이가 다니는 학원과 문제집도 대화 소재가 되고, 유치원 때부터 똑똑했었는데 알고 보니 부모의 학벌이 좋다던가 하는 시시콜콜한 정보까지도 과장되게 공유되고 발이 달린 것처럼 퍼집니다.

공부 못하는 아이들에게 각자의 사연이 있는 것처럼 공부를 잘하는 아이들도 다양한 이유가 있는데 우리는 그걸 인정하기 어렵습니다. 부러운 마음으로 시선을 주기 때문에 객관적으로 보지 못합니다. "똑같이 학원에 다녔는데 너는 왜 레벨 테스트 점수가 덜 나왔냐."며 너무도 쉽게 내 아이를 비난합니다. 그 속상한 마음은 충분히 이해하지만, 입 밖으로 내서는 안 되는 말이에요. 친구와 비교하여 아이의 승부욕을 자극해 더 큰 성취를 이루기를 기대한다면 되짚어볼 문제입니다. 시어머님께 "옆집 며느리가 그렇게 어른들한테 잘하고 용돈을 많이 넣어준다던데 너는 뭐가 부족해서 그렇게 하질 못하니."라는 말을 듣는다면 마음이 어떨까요? 시어머니도 싫어지고 옆집 며느리는 더 싫어집니다.

아직 순수하고 착하고 예쁠 나이인 우리 아이들이 중요하지 않은 것 때문에 친구를 미워하고 시기하지 않게 해주세요. 친구가 잘했을 때 순수한 마음으로 기뻐하고, 나 역시 어제의 나보다 조금 더 발전하기 위해 노력하겠다는 마음을 먹게 해주세요.

한국의 초등학생들이 전보다 훨씬 빠른 속도로 순수함을 잃어가고 있다는 건 모두 느끼실 거예요. 처음 발령받았던 2003년도의 아이들을 생각해보면 지금과 다르다는 것이 확연히 느껴집니다. 무엇이 우리 아이들을 이렇게 만들었을까요? 혹시 어느 시점 이후, 태교에 심각한 문제가 있었던 걸까요? 친구를 성적으로 판단해서 나보다 잘하면 깎아내리고 못하면 무시하는 지금의 아이들은 태생부터 좀 다른 걸까요?

아이의 시험지를 보며 '어떤 문제를 어려워하는가' 보다 '다른 친구들은 몇 점을 받았는가'를 더 궁금해하지 않았나 저부터 반성하고 있습니다. 백 점 맞아온 아이에게 칭찬을 쏟다가 알고 보니 백 점 맞은 친구가 열두 명이라는 사실을 알게 되어 실망한 기색을 감추지 못했던 엄마였거든요.

부모인 우리의 생각이 달라졌으면 합니다. 꾸준히 열심히 노력하고 있다면 비록 낮은 점수라도 격려해야 합니다. 백 점을 맞아서 우쭐하더라도 놓친 게 있다면 차분히 다시 점검해보아야겠지요. 아이들은 점수가 적힌 시험지를 내밀었을 때의 부모 반응에 큰 영향을 받습니다. 나름대로 점수에 대한 부모의 반응을 예상해보면서 좋아하기도, 두려워하기도 하지요.

"지난번에 했던 실수가 이번에는 나아졌구나."

"꾸준히 연산 연습을 하더니 수학 시험 문제를 척척 잘 풀었네."

"'나눗셈이 아직 좀 어려운가 보다. 다음 주부터는 나눗셈 연습을 좀 해보자."

"시험 문제 풀 때 가장 어려웠던 문제는 뭐였어?"

"열 문제를 다 푸는 데 시간이 보통 어느 정도 걸리는 편이야?"

"지난번에는 실수가 없었는데 이번에는 덤벙거리다 틀린 문제가 있네. 이 부분을 신경 써서 문제 풀어야겠다."

"이 글씨는 엄마가 봐도 잘 알아보기가 어려운데 다행히 맞혔다고 해주셨네. 다음부터는 글씨 또박또박 쓰기로 약속하자."

"그래서 반에서 백 점은 몇 명이야?", "너보다 잘한 애들 몇 명 있어?""라는 질문 말고도 아이의 시험지를 보며 함께 나눠야 할 이야기는 이렇게나 많습니다. 아무리 실망스러운 점수라 해도 어떻게든 칭찬할 거리를 찾아내어 칭찬해주세요. 빠짐없이 모든 문제를 풀었다는 점이라도 칭찬해주세요. 그리고 하나하나 짚어가며 부족한 부분, 연습과 확인이 필요한 부분을 해결해나가면 됩니다.

사랑스러운 우리 아이의 순수함을 지켜주는 건 오롯이 부모의 몫입니다. 친구를 잘못 사귀어 일어나는 나쁜 일보다 가정에서의 그릇된 가르침으로 잘못된 선택을 하는 아이들이 훨씬 많다는 것을 기억해야 합니다.

08

'단호함'과 '다정함'을 일관되게 보여주세요

매일 공부를 하다 보면 하루에도 몇 번씩 소소한 위기를 만납니다. 공부 태도, 공부량, 시간 계획, 점검 방법 등의 디테일한 부분에서 쉼 없이 위기가 생겨납니다. 이런 소소한 갈등, 빈번한 타협, 아이의 반항, 확신 없는 부모의 태도가 누적되면 '이렇게까지 할 필요가 있을까'라는 주저하는 마음과 '이게 아이를 위한 최선인가, 이럴 거면 차라리 학원 보내는 게 낫겠다' 싶은 포기의 마음이 생깁니다.

아이는 자신의 주관, 고집이 분명해지면서도 인격적으로는 아직

미성숙한 단계이기 때문에 때로 부모의 마음에 상처를 주기도 합니다. 아직 어려서 그런 걸 알면서, 아이가 나쁜 뜻으로 한 말과 행동이 아님을 알면서도 우리는 곧잘 상처받고, 아이한테 상처받는 자신의 모습을 자책합니다. 아이도 우리도 성장하는 길 위에 있습니다. 소소한 갈등 상황을 통해 아이의 몰랐던 면을 발견하고 갈등을 함께 해결하가면서 앞으로 닥칠 더 거대한 갈등을 예상해보고 준비도 할 수 있으니 힘든 건 확실하지만 나쁜 것만은 아닐 것입니다.

이렇게 마주 앉아서 공부시키지 않았다면 굳이 겪지 않아도 되었을 다양한 갈등 상황에 직면했을 때 부모가 일관되게 가지고 가야 할 두 가지, '단호함'과 '다정함'을 기억해주세요. 이 두 가지는 서로 보완해주는 최상의 짝궁이기 때문에 한 가지에 치우치지 않도록 균형을 잡는 일이 가장 중요한데, 이게 정말 어렵습니다. 때로 한쪽으로 치우쳐도 부모 자신은 모르는 경우가 많아 개선이 쉽지 않거든요.

처음 부모가 되어 기저귀 한번 가는 것도 서툴던 우리가 자다가 일어나 컴컴한 방에서도 감각에 의존하여 능숙하게 기저귀를 갈고는 토닥여 다시 재우는 베테랑이 되었던 것을 기억해보세요. 직접 해보는 무수한 경험치가 충분치 않았다면 시간이 흘러도 여전히 서툴렀을 겁니다. 처음부터 잘하는 부모도 없고, 매일 연습하고 고민하는데 여전히 서툰 부모도 없습니다.

두 가지가 적절하게 필요한 상황에서 균형 잡는 일 역시 마찬가지입니다. 부모가 가져야 할 태도는 어떤 것도 하루아침에 완성되지 않습니다. 육아의 길에서 만나는 다양한 상황을 쉽게 포기하거나 편한 쪽으로 결정해버리기보다는, 어떻게 하면 아이에게 이로우면서 부모가 덜 힘들 수 있을까를 고민하면서 성장해가는 것입니다. 지금은 비록 단호함과 다정함 사이에서 균형을 잡지 못해 기우뚱거리고 있지만, 매일 고민하고 돌아보고 계획하기를 반복하면 점점 두 가지의 태도를 적절하게 활용해 아이를 안정적으로 이끄는 자신을 발견하게 될 거예요.

기저귀 갈기에 능숙해진 건 그게 쉬운 일이어서가 아니라 하루에도 여러 번, 빠짐없이 매일 반복했기 때문이에요. 혹시 요즘 번번이 아이와 삐걱거리고 자꾸 마음이 상한다면, 아직 기저귀가 손에 익지 않았을 뿐이라고 생각해보세요. 아이 문제집에 소복이 쌓인 문제들처럼 오늘의 갈등 상황은 내게 주어진 오늘의 연습 문제라는 마음이면 좋겠습니다. 자신만만한 여유로움으로 아이와의 갈등을 받아들이세요.

다정함

아이는 공부를 하고 싶어 한 적이 없습니다. 해야 한다고 하니까

하고 잘하면 좋은 거라니까 잘해보려고 하는 건데 못한다고 혼나고 덜 했다고 혼나고 빨리 좀 하라는 차가운 잔소리를 듣습니다. 이걸 왜 매일 해야 하는 건지 억울하고 짜증이 납니다.

아이도 잘하고 싶습니다. 잘해보려고 노력하고 있습니다. 이런 아이에게는 최선을 다해 다정하게 대해주세요. 말 한마디를 해도 따뜻하고 정 있게, 더 많이 안아주고 손잡아 주고 머리와 어깨를 쓰다듬어주세요. 볼을 살살 만져주고 엉덩이를 두드려주고 이만큼 컸느냐며 볼 때마다 놀라는 척을 해주세요.

부를 땐 성을 붙이지 말고 이름 앞에 '우리'라는 말을 넣어보세요. '이규민'이 아니라 '우리 규민이'가 좋습니다. 학교와 학원에서 늘 듣는 말이 '이규민'입니다. 적어도 집에서만큼은 '우리 규민이'라고 따뜻하게 불러주세요. 끝까지 눈을 떼지 말고 사랑스러운 눈길로 다정하게 칭찬의 말을 건네보세요.

잔소리인지 훈계인지 칭찬인지 구분하기 어려운 아빠, 엄마의 말투 때문에 아이는 헷갈립니다. 잘했다는 건지, 못했다는 건지, 사랑한다는 건지, 아니라는 건지 말투만으로 구분할 수 없다면 달라져야 합니다. 평소의 모습이 다정할수록 단호함이 빛을 발하는 법이거든요. 태생이 무뚝뚝하여 절대 그렇게는 못하겠다고요? 낯 간지러워도 눈 딱 감고 하루만 해보세요. 아이 눈빛이 달라집니다. 행동과 말투가 바뀌면서 발걸음과 목소리에 힘이 들어가는 걸 대번에 느끼실 거예요.

사랑하는 아이가 엄마의 다정한 몇 마디에 춤추는 모습을 보면 다정함의 중독에서 빠져나오기 쉽지 않습니다. 한번 해보고 결정하세요. 늘 잔소리를 듣는 아이들은 점점 잔소리에 무감각해집니다. 부모의 훈계는 물론이고 담임 선생님의 경고와 잔소리도 무심하게 듣고 넘기게 되지요. 에너지를 덜 쏟는 수월하고 효과적인 가르침의 전제는 '평소의 다정함'임을 기억해주세요.

단호함

단호함은 무서움, 공포, 차가움, 무뚝뚝함, 거리감, 퉁명스러움, 두려움과는 다릅니다. 때로 단호함을 오해하여 아이가 부모를 무섭게 느끼도록 하거나 아이와 거리를 두는 것으로 착각하는데, 단호함은 그런 것이 아닙니다.

아이에게 습관을 만들어줄 때 반드시 필요한 단호함의 핵심은 '안 되는 것은 안 되는 것이다'입니다. 기회가 될 때마다 이것에 관한 확고한 의지를 표현해야 합니다. 안 되는 것에 관한 원칙을 정하고, 그것을 지키지 않았을 때 단호하게 경고하고 제대로 가르치는 일이 자녀교육의 핵심입니다. 가족의 상황, 아이의 성장 배경, 성향에 따라 안 되는 것에 관한 기준이 다를 수 있지만, 누구나 가져야 할 기본적인 삶의 원칙은 포함해야 합니다. 공부 습관에 직접적인 영향을 미치는 요소도 있지만, 기본 생활습관, 예의, 건강, 성장, 도덕, 인격, 성품, 양심 등에 관한 원칙도 공부 못지않게 중요합니다. 공부만 잘하는 덜된 인간으로 키우려는 건 아니실 테지요.

아이가 원칙에서 엇나가려 할 때 단호한 태도를 보여 다시는 그 행동을 반복하지 못하게 하는 것이 부모의 일입니다. 아이와 다정한 관계를 유지하고 싶다고요? 단호하게 혼내는 일이 어렵다고요? 평소에 친구처럼 잘 지내는 부모 자식 관계일수록 단호한 가르침은 훨씬 더 눈에 보이는 효과를 보입니다. 부모의 눈빛과 말투만 달라져도 아이는 바로 분위기를 파악하고 자기가 잘못했음을 알기 때문입니다.

저는 평소 아이들에게 한없이 다정하게 굴지만 아니다 싶은 상황에서는 복식호흡으로 목소리를 가다듬고 즉시 모드를 변경합니다. 한차례 호된 꾸짖음, 눈물, 반성, 다짐의 폭풍 같은 시간이 지나고 나면 남편과 아들들이 모여 “아까 암사자 한 마리 왔다간 거 봤냐?”며 낄낄거립니다. 사자라고 표현해줘서 만족스러웠습니다. 순간이지만 제대로 무서웠다면 성공입니다.

09

아이의 '롤모델'이 되어주세요

.... 다행일까요, 불행일까요? 아이는 부모의 말이 아닌 행동을 보고 배우며 성장합니다. '하라고 한 대로' 하지 않고, '본 대로' 합니다. 아이의 어떤 행동, 표정, 모습에서 부모인 우리를 발견하고는 놀란 적 있을 거예요. 아무도 시키지 않았던 부모의 모습을 거울처럼, 그림자처럼 흉내 냅니다. 부모를 통해 이미 그 모습에 익숙해져 있으니 당연한 결과입니다. 가장 많은 시간을 함께 보내고 가장 사랑하고 절대적인 존재의 모습을 닮아가는 건 인간의 본능이지요.

이 사실을 인정하고 나면 자녀를 바르게 양육하는 일은 그리 어렵지 않습니다. 놀랄 만큼 간단합니다. 내 아이가 가졌으면 하는 습관, 언행, 예의, 인성을 부모인 우리가 먼저 장착하고 살면 되니까요. '나처럼은 안 살았으면 좋겠다'가 아니라 '나처럼 성장하면 좋겠다'는 마음으로 내 아이의 가장 멋진 롤모델이 되어주세요. 그러고 나서 '그래도 나보다는 조금 더 나은 삶'을 개척하기를 바라야 합니다.

"나는 이렇게 엉망으로 살았지만 너는 그러면 안 된다."는 말은 삶의 고단함을 핑계 삼은 성의 없는 격려입니다. 매우 단순하고 기본적인 이 원칙을 인정하지 않고 그저 자녀의 성공만을 바라는 마음으로 교육에만 집중한다면 들인 수고, 시간, 돈은 보상받을 길 없이 그대로 사라져버릴지도 모르겠습니다. 그때가 되어 '내가 너 때문에 얼마나 고생을 했는데'라며 아이를 원망하지 않았으면 합니다. "너를 잘 키우기 위해 노력하고 고민하면서 우리도 많이 성장했어. 고마워!"라고 말하게 되었으면 합니다.

매일의 공부 습관을 잡아가면서 아이는 느리지만 분명히 눈에 띄는 성장을 보이게 될 거예요. 한 달 전의 영어 일기와 오늘의 일기가 다르고, 읽는 책의 글밥과 장르가 달라질 것이며, 연산 문제 한쪽을 푸는 데 걸리는 속도가 달라질 거예요. 이렇게 매일의 습관이 아이에게만 마법을 부리게 하지 말고, 이왕이면 부모인 우리도 함께 성장했으면 합니다. 학생이 아니니 공부가 아니어도 괜찮아요. 뭐가 됐든 좋아하고 하고 싶은 일을 매일 정해놓고 조금씩 습관으로 만들어 성장하는 모습을 보여주세요.

지금 우리의 일상에서 나 자신과 자녀의 성장을 위해 노력하고 개선할 부분이 하나도 없다면 거짓말일 겁니다. 하나라도 찾아냈다면 실천에 옮겨봅시다. 스스로 만든 계획, 약속을 지키기 위해 노력하는 아빠, 엄마의 모습을 아이는 당연하다는 듯 닮아갈 거예요. 그것이 아이를 성장시키는 힘이 되어줄 것입니다.

부모의 매일 습관으로 할 만한 좋은 것이 떠오르지 않는다면 몇 가지 제안을 드릴게요. 하나씩 골라가며 실천으로 옮겨보세요. 시작하고 진행 중일 때 가족 모두에게 "나는 이제 매일 이것을 하겠다."고 선포하는 것은 눈에 띄는 효과가 있습니다. 작심삼일만에 실패하는 모습도 아이에게는 배움이 됩니다. 또다시 새로운 도전을 시작하는 부모님의 모습을 오롯이 지켜보고 있을 테니까요.

부모 성장을 위한 좋은 습관 목록

1) 매일 운동

종목, 시간까지 구체적으로 정하면 더욱 좋습니다. 운동이 필요한 이유가 너희를 사랑하기 때문이라고 한다면, 혹은 십 년 후 세계

일주를 하기 위해서라고 큰소리친다면 더욱 큰 응원을 받을 수 있겠죠? 혼자 운동하는 시간을 확보할 수 없다면 아이들과 함께 있는 시간에 줄넘기, 산책, 스트레칭, 아령 등을 하면서 부지런히 몸을 움직여보세요. 힘들어서 피곤할 것 같은데 신기하게도 에너지가 생기는 경험을 하게 될 거예요.

2) 매일 독서

시작부터 매일 한두 시간이라는 무리한 계획은 지키기 힘들 수 있어요. 10분, 30분처럼 짧은 시간이라도 매일 책을 읽기로 계획하고 아이들이 보는 앞에서 읽으세요. 매우 재미있는 듯한 흥미진진한 표정을 지으면서 말이에요. 일부러 아이들이 잠든 조용한 시간에 책을 펼치는 분들도 계시는데요. 아이들 공부할 때, 책 읽을 때를 놓치지 말고 틈틈이 독서 시간을 확보하는 것을 추천합니다. 이왕 읽는 거 아이들에게 자랑하고 칭찬도 받으세요.

3) 강의 영상 시청

자녀교육, 자기계발 등에 유익한 영상을 찾아 매일 들어보세요. 아이들이 간식 먹는 시간 등을 활용하여 틀어놓고 들으면 아이들도 함께 듣습니다. 이때 재미로 보는 것이 아니라 '공부하는 것'임을 강조하여 엄마가 열심히 공부하고 성장하고 있음을 느끼게 해주세요. 습관이 잡혔다면 매일 하나씩 영어 강의 영상을 보는 것도 좋습니다. 뭐든 아빠, 엄마가 하는 건 멋있어 보이고 따라 하고 싶어지는 게 아이의 마음이거든요.

4) 영어책 낭독

자녀를 위해서는 무수히 많은 한글책, 영어책을 읽어주었지만 정작 본인을 위해서는 손 놓은 지 오래시죠? 매일 한 쪽, 혹은 10분 정도만이라도 성인 영어책을 소리 내어 읽으면 꾸준히 공부하고 있음을 확실하게 어필하게 됩니다. 이해하지 못해도 상관없습니다. 그냥 읽으세요. 읽다 보면 길이 보입니다. 아무것도 하지 않으면 아무 일도 일어나지 않습니다. 길을 나서야 다음 갈림길이 눈에 들어옵니다.

5) 글쓰기

손 놓았던 일기를 다시 써보는 것도 좋고, 블로그에 꾸준히 글을 올리는 것도 좋습니다. '엄마의 성장을 위한 습관'을 꾸준히 실천하고 있음을 아이에게 강조하면서 티를 팍팍 내면서 쓰세요. 아무리 열심히 잘하고 있어도 자녀가 알지 못하면 그 좋은 습관을 닮을 수가 없거든요. 짧은 일상의 메모들도 좋습니다. 부모가 뭐든 끼적이며 쓰고 있는 모습은 아이의 글쓰기 습관에도 긍정적인 영향을 줄 것입니다.

6) 여행 계획 세우기

몇 달 후에 계획된 가족 여행을 위해 매일 일정 시간을 들여 공부하듯 준비하는 모습을 보여주세요. 그 시간을 통해 새롭게 얻은 정보들을 인쇄하여 파일에 끼우고 아이들이 언제든 볼 수 있게 하세요. 열심히 즐겁게 준비하는 부모의 모습을 보며 아이도 여행을 기대하는 마음이 생기고, 앞으로 본인의 여행 계획을 세울 때 즐겁게 준비하던 부모님의 모습을 떠올리게 될 거예요.

7) 스마트폰 절제하기

밤 10시 이후에는 가족의 스마트폰을 한곳에 모으기, 연속으로 30분 이상 사용하지 않기, 앱의 알림 꺼두기, 식사 중에 스마트폰 보지 않기 등 가족 모두에게 적용될 규칙이 필요합니다. 가족이 모여 회의를 통해 결정해보세요. 아이에게 그만하라고 하면서 정작 스마트폰에서 눈을 떼지 못하고 있다면 결심하고 시작했으면 합니다.

8) 매주 도서관, 서점 방문하기

책을 좋아하고 가까이하는 부모의 모습은 그 자체로 이미 자녀에게 큰 선물입니다. 부모님을 따라 자주 갔던 공간을 성인이 되어서도 편안하게 느끼고 자주 찾을 수밖에 없거든요. 일주일에 한 번은 도서관, 서점 등 책을 만나는 공간을 찾아보세요. 혼자 다녀왔다면 다녀온 이야기를 아이에게 들려주고, 시간이 허락한다면 아이들과 함께 가는 게 좋습니다. 어린이책 코너에만 머물지 말고 아빠, 엄마의 책을 고르는 시간을 빼놓지 마세요. 아이가 중학년 이상이라면 각자가 보고 싶은 책을 보다가 만나는 짧은 헤어짐도 즐겁습니다.

엄마가 옆에 붙어서서 이 책, 저 책 권하는 게 싫어 도서관에 가지 않으려는 아이도 많습니다. 힘들게 데려간 곳에서 만화책만 보려 해도 괜찮습니다. 자주 가고, 편안한 공간이 되어야 어려운 책, 다양한 책을 시도해볼 마음이 생기거든요.

감사의 말

『고민을 나눠주셔서 고맙습니다』

공부법에 관한 자녀교육서를 쓰면서 자주 눈물이 났습니다. 공부 문제로 무수한 고민에 빠져 한없이 무기력해하거나 아이를 위하는 거라 착각하며 과하게 욕심을 부리던 제 모습, 무심코 아이에게 뱉었던 독한 말들이 떠올랐기 때문입니다. 탁자에 마주 앉아 호통치는 엄마의 눈치를 살피던 아이들의 눈빛이 떠올라 한없이 미안한 마음도 들었습니다.

또, 어떻게 공부시켜야 할지 모르겠다며 상담을 청해오신 교실의 학부모님들께 책이나 많이 읽히시라는 답답한 소리만 되풀이하던 제 모습이 떠올랐습니다. 아이 공부 때문에 고민하다가 망설임 끝에 적어 보내신 어머니들의 메일 내용이 떠올라 글을 멈추고 눈물과 콧

물을 닮았습니다.

저는 제가 초등 아이들에 대해 잘 알고 있다고 생각했고, 학부모님들이 무얼 걱정하고 있는지 충분히 파악하고 있다고 자신했었습니다. 이것저것 많이 시키는 엄마들을 보며 욕심도 많다며 삐죽거렸고, 저 집은 돈을 쌓아놓고 사는가보다 부러워한 적도 있습니다.

공부 습관에 관한 본격적인 고민을 시작하고, 저의 유튜브 채널에 달린 댓글에 답글을 달면서 저는 초등 공부에 관한 현실적인 방법을 새롭게 공부하게 되었습니다. 그래서 지금은 아이를 키우는 많은 부모의 선택이 그들의 욕심이 과해서도 아니고, 돈이 남아돌아서도 아니었다는 걸 알게 되었습니다. 조금 더 어릴 때 다양한 사교육을 받아야 뒤처지지 않는다고 부추기고 불안감을 조장하는 우리 사회의 분위기가 확신 없이 시작되는 무수한 사교육의 실체였음을 정확히 알게 되었습니다.

누구에게도 말하지 않았던 아이 교육에 관한 고민을 댓글로, 메일로 툭툭 털어놓아 주신 학부모님들께 깊은 감사의 말씀을 전합니다. 덕분에 보다 현실적이고 구체적인 정보, 경험, 조언을 정리할 수 있었습니다.

정보도 주관도 없으면서 직장 일에 바빠 자녀교육서 한 권 못 읽고 지내는 직장맘이던 제가 우리 아이들에게 시도하여 성공한 공부 습관은 하나뿐인 친정언니에게서 배운 것입니다. 마땅히 고민을 털어놓을 곳 없어 외롭고 불안한 학부모님들께 저의 책과 영상이 친정 언니 같은 존재가 되었으면 합니다. 이제는 제가 여러분의 '언니'가 되어드리고 싶습니다.

『초등학생을 위한 체험학습 정보』

구 분	명 칭	지 역	주 소
공연 체험 예약	쑥쑥닷컴	체험단 신청	http://www.suksuk.co.kr
	애플도도	공연 예매	http://www.appledodo.co.kr
체험 학습	롯데제과 체험관 스위트 팩토리	서울시 영등포구	https://www.lotteconf.co.kr
	서울 에너지 드림센터	서울시 마포구	http://www.seouledc.or.kr
	안성 남사당 공연장	경기도 안성시	https://www.anseong.go.kr/tourPortal/namsadang
	에너지 체험관 행복한 아이	서울시 금천구	http://www.hikeia.or.kr/main/main.asp
	조류생태과학관	경기도 의왕시	http://bird.uuc.or.kr
	진주목장	경기도 안성시	http://www.jinjufarm.com
	한국민속촌	경기도 용인시	http://www.koreanfolk.co.kr
방송국 견학	EBS	고양시 일산동구	http://www.ebs.co.kr/customer/tour/tourReq
	KBS	서울시 영등포구	http://office.kbs.co.kr/kbson
	MBC	서울시 마포구	http://mbcworld.imbc.com
공공 기관 견학	국회의사당	서울시 영등포구	http://www.assembly.go.kr
	법원 재판 참관	중앙, 지방법원	중앙 및 각 지방법원 홈페이지
	청와대	서울시 종로구	http://www.president.go.kr
과학 체험관	과천 어린이과학관	경기도 과천시	https://www.sciencecenter.go.kr
	남산 수학, 과학체험관	서울시 관악구	http://www.ssp.re.kr
	부산 과학체험관	부산시 동구	https://scinuri.pen.go.kr
	인천 어린이과학관	인천광역시	http://www.icsmuseum.go.kr/main.jsp
	창원 과학체험관	경남 창원시	http://www.cwsc.go.kr/tnboard
	LG 사이언스 홀	서울시 영등포구 부산시 부산진구	http://www.lgsh.co.kr
미술관	국립현대미술관	경기도 과천시	http://www.mmca.go.kr
	백남준 아트센터	경기도 용인시	http://njp.ggcf.kr
	수원시 어린이 생태미술관	경기도 수원시	https://suma.suwon.go.kr/main/main.do
	현대 어린이 책 미술관	경기도 성남시	http://www.hmoka.org
	호암미술관	경기도 용인시	http://hoam.samsungfoundation.org

구분	명칭	지역	주소
직업 체험	드림하이 센터	전남 곡성군	http://www.dream-high.kr
	잡월드	성남시 분당구	http://www.koreajobworld.or.kr
	키자니아	서울시 송파구 부산 해운대구	http://www.kidzania.co.kr
	EBS 리틀소시움	대구광역시	http://www.littlesocium.com
	kids & keys	서울시 영등포구	http://www.kidsnkeys.co.kr
박물관	검단 선사박물관	인천광역시	http://icmuseum.incheon.go.kr/index.do
	경기도 박물관	경기도 용인시	http://musenet.ggcf.kr
	경기도 어린이박물관	경기도 용인시	http://gcm.ggcf.kr
	경찰박물관	서울시 종로구	http://www.policemuseum.go.kr
	국립중앙박물관	서울시 용산구	http://www.museum.go.kr
	국립광주박물관	광주광역시	http://gwangju.museum.go.kr
	국립한글박물관	서울 용산구	http://www.hangeul.go.kr
	대한민국 역사박물관	서울 종로구	http://www.much.go.kr
	독립기념관	충남 천안시	http://www.i815.or.kr
	뮤지엄 김치간	서울 종로구	http://www.kimchikan.com
	서대문 자연사박물관	서울 서대문구	http://namu.sdm.go.kr
	서대문 형무소역사관	서울시 서대문구	https://www.sscmc.or.kr/newhistory/index_culture.asp?
	서울 안전체험관	서울시 동작구	http://safe119.seoul.go.kr
	수원박물관 어린이체험	경기도 수원시	http://swmuseum.suwon.go.kr
	안산 문화원	경기도 안산	http://www.ansanculture.or.kr
	용산 전쟁기념관	서울시 용산구	http://www.warmemo.or.kr
	의왕 철도박물관	경기도 의왕시	http://www.railroadmuseum.co.kr
	인천 어린이박물관	인천광역시	http://www.enjoymuseum.org
	화폐박물관	대전광역시	http://museum.komsco.com

※가나다 순입니다.

초등 매일 공부의 힘

초판 1쇄 발행 2019년 12월 3일
초판 14쇄 발행 2023년 8월 23일

지은이 이은경
펴낸이 김남전

편집장 유다형 | 편집 이경은 | 외주교정 이하정 | 디자인 양란희
마케팅 정상원 한웅 김건우 | 경영관리 임종열 김다운

펴낸곳 ㈜가나문화콘텐츠 | 출판 등록 2002년 2월 15일 제10-2308호
주소 경기도 고양시 덕양구 호원길 3-2
전화 02-717-5494(편집부) 02-332-7755(관리부) | 팩스 02-324-9944
홈페이지 ganapub.com | 포스트 post.naver.com/ganapub1
페이스북 facebook.com/ganapub1 | 인스타그램 instagram.com/ganapub1

ISBN 978-89-5736-029-3 (03590)